ちくま文庫

質問力

話し上手はここがちがう

齋藤 孝

質問力——目次

第一章「質問力」を技化する 25

第四章 コミュニケーションの秘訣――②ずらす技 143

本文イラスト　郷坪浩子
編集協力　辻由美子

プロローグ

初対面の人となぜ3分で深い話ができるのか

日本で今後間違いなく問題になってくるのは、コミュニケーション能力だろう。なぜなら、社会で求められるコミュニケーション力の水準が高くなってきている一方で、その能力が低下傾向にあるからだ。日本語力が低下したと同時に、うなずきなど、体でのコミュニケーション力もまた落ちてきている。

テレビを見ている時は、自分の方から何も発信しなくてもよい。また受け手としてテレビにレスポンス（応答）しなくてもテレビは文句を言わない。その癖がついているので、**人と会話をする際、自分の体全体で相手に応答する習慣がない世代が増えてきたのだ。**

〝コミュニケーション不全症候群〟という言葉が出てきて久しいが、そういう人々は一層増えている。しかし私が若い人と付き合って感じるのは、友だち同士のコミユニケーション能力はさほど落ちていないということだ。

中学生でも高校生でも大学生でも、友だち同士に限れば、意思を伝え合うことはできる。たとえそれが自分の言いたいことを一方的にしゃべるだけであっても、彼らの間では了解済みであることが多い。

その典型が「ていうか」という言葉である。この言葉で一気に今までの文脈を断ち切って、自分の話題に持っていく。同様に相手もそれをやるわけだが、といってお互い気まずくなったり、仲が悪くなることはない。

たしかに短時間に双方が言いたい事を言う場合は、この方法は非常に効率がいいに違いない。だから大人が表面だけ見て、若い人たちがお互いの会話に反応しないと決めつけるのは、少々見当はずれである。

しかしそれで問題がないというわけではない。プライベートな関係では、自分勝手な会話や少ない語彙(ごい)でも許される。だが友だち以外の人間関係には通用しない。

たとえば知らない人と出会い、自分にとって有意義な情報を得ていこうとする場合、そのやり方ではとうてい無理だろう。知らない人と出会う少しパブリックな関係、つまりプライベートとパブリックの中間段階でのコミュニケーションが、実はいちばん大切なのである。

何百人もの人を前にして、しっかり書き言葉のように話せといわれても、万人ができるわけではない。しかし初めて会う人と3分後には深い話ができたり、相手の専門的な知識や話題を、たとえ自分は素人でもきちんと聞き出せる能力があるかないかは、その人の人生の豊かさを決定づける鍵になる。出会いが人生の豊かさの質を決めるのである。

初めて出会う人と、どれだけ短い時間で濃密な対話ができるか。実はここに社会で生き抜く力の差が生まれてくる。**これからの社会で間違いなく必要とされるのは、「段取り力」と「コミュニケーション力」**だ。自ら動き、組み立てていく力を学校教育はおろそかにしてきた。

拙著『「できる人」はどこがちがうのか』(ちくま新書)で私が述べた3つの力は、教えられなくても自分でポイントを盗んで技をマスターする「まねる(盗む)力」と、これと連結する「段取り力」、その上で要約したり質問できる「コメント力」である。この3つが社会で生き抜いて行くために必要な力である。

社会人に聞くと、「確かにその3つがあれば生きていける。自分も学校教育ではあまりその力は鍛えられなかったが、社会に出たとたんに3つの力の必要性を痛感している」と語る人が多かった。

その中の「コメント力」は、まさにコミュニケーション能力そのものであるといってよい。しかし「コミュニケーション力は大切だ」と言われ続けながら、その低下傾向に歯止めがかからなかったのは、「コミュニケーション力」という言葉の概念があまりに漠然としており、それを伸ばすための具体的なコンセプトがなかったからである。私はその言葉の概念を本書でクリアにしておきたい。

たしかにカウンセリングでよく用いられる「聞く技法」のようなメソッドはある。たとえばよく言われるアクティブリスニング（傾聴）は、相手に対してうなずきながら、本音を聞きだしていくというやり方で、これを日常生活でも活用しようという動きがある。聞く構えを作るという意味では悪いやり方ではないと思うし、私も試してみたことがあるが、現実の対話シーンにはそぐわないことも多い。

一方が他方をクライアント（患者）とみなし、その痛みを和らげようとするシチュエーションは、日常のコミュニケーションではあまりないからだ。普通のシチュエーションで相手の話にひたすら耳を傾ける人がいたら、不自然な感じがするだろう。

もちろん臨床心理士はそういう技法を身につけており、自然な形で活かすことができるのだろうが、私が考える「コミュニケーション力」はもっと積極的なものである。

それは今回テーマにしている「質問力」に集約される。すなわち**質問する**という**積極的な行為によってコミュニケーションを自ら深めていく**、という提言を本書でしていきたいのだ。

聞くことが大切なのは事実だが、どれだけ深く聞いていたかはその次に自分が発する質問によってはかられる。聞くだけではなく、質の高い質問をつねに相手に発していく厳しさがなければ、「コミュニケーション力」はなかなか上達しない。スポーツや芸事を何となくやっていても進歩しないのと同じである。

「質問力」のコンセプトを理解し、「コミュニケーション力」を高める練習をしてほしい。

「質問力」で推しはかられるその人の能力

ただ垂れ流して話しているのが普通の会話である。私たちは生まれてこのかた、ずっとそれをやってきている。日常会話はそれですむと思っているが、実は私たちは意外にシビアに相手の実力を、つまりコミュニケーション力を、もっとはっきり言えば相手の「質問力」をはかっている。

たとえば、あまりにつまらない質問ばかりを発する人間とは会いたくないだろう。「この人に会ってもムダだ」と相手から判断されてしまうと、他にすばらしい実力があってもなかなかそれを発揮させてもらえない。つまり、**「コミュニケーション力（質問力）」はその他の自分の力を発揮する舞台を用意するために、まず必要とされる力**なのだ。

建築家の例をとるとわかりやすい。プレゼンテーション能力やディスカッション能力がなければ、建築家は家を建てさせてもらえない。「建てればわかる」と主張しても、そんなことでお金を払ってくれるお人好しはいないだろう。

相手にお金を出させて、仕事を請け負うためには、対話の中で相手を納得させなければならない。ましてや建築のように、建てるまでは現物を見せられないような物を作る場合、「コミュニケーション力（質問力）」の高さが生命線になるのである。

これまで質問に対する答を問うシチュエーションは無数にあった。私たちはつねに学校で答える方の質を問われてきたのだから。だがいちばん大事なことは、問いを作ることだと私は思っている。

たとえば数学で超難解と言われた「フェルマーの定理」が先年証明された。この定理を解いた人は確かにすごいが、一〇〇年以上も人々を楽しませてきたフェルマーはもっとすごいと私は思う。そういう問いを発せられたということが、非常に高い能力を有している証拠である。

実は受験勉強や他のすべての試験にパスするヒントもここにある。**問題を作る側に立って**しまえば、テストはあっけないほど簡単に解けてしまう。あるところまで勉強すると出題者の意図が手にとるようにわかってくる。なぜそのようなことを聞くのか、なぜこの選択肢を用意したのかがわかり、「ああ、苦労して問題を作ったんだね」という気持ちになると、ほぼ間違いなく正解を答えることができるのだ。

私は大学受験の国語でその境地に達した時、ほとんど間違えることがなくなった。これは目からウロコの発見だった。それまで私はずっと答える側に身をおいていた。

そのため、自分の価値観で答えようとしていた。当然、出題者の価値観と私の価値観がズレれば、私は不正解とみなされる。

今思い返してみても、私は自分の価値観を答に反映させすぎていたように思う。向こうは客観的な評価をしなければいけないので、私一人の価値観や深い読みにかかずらわっていることはできない。出題者はもう少し浅いところできちんとふるいにかけたいのである。

つまり試験制度を考えた時、明らかに私のスタンスが間違っていたのだ。一対一の面接ならいざしらず、試験という場で自分の個人的な読みの深さを評価しろ、というのがどだい無理な注文だったわけである。

話は脱線するが、東大の入試問題は非常にすばらしい。特に二次の国語や社会の論述問題はよく練られたすぐれた問題が出題されている。あまりにすばらしいので、解く意欲がふつふつとわいてくるほどだ。またその問いに答えられなくても納得がいく。つまりあまりに問いが本質的かつ具体的なので、それに答えられないのは明らかにこちらに実力がないと証明されてしまう、そういう種類の問いなのだ。

一方、世間には実にくだらない入試問題もある。こんな事を聞いて何の力を試しているのかと思わざるをえないものや、明らかに些末な事を平気で聞いてくるものもある。確かにその知識を知っていることによって、他の事も知っているだろうと推測できるかもしれないが、一つ一つの問いに何の意味もない。

私は小学生の塾をやっているが、**小学生同士でペアになってある知識について問いを出させると、出題者側にまわった途端、その問題に熟知するようになるからおもしろい。**正解を見ながら問いを発しているので、染み込むように自分に入ってくるのだ。

出題者側と答える側を交互に入れ替えてやらせると、算数の問題でも、社会の論理的な問題でも、子供は驚くほどスピーディに知識を習得する。問いの力に目覚めるということのすごさである。ポジションチェンジ、あるいはモードチェンジが大切だということだ。

しかし忘れてはならないのは、その時コミュニケーションが成立しているかどうかである。ポジションチェンジしても、質の低い問いを発しているようではあまり意味がない。コミュニケーションには歴然としたレベルがあるのだ。

本書では質の高い対話の具体例を数多く取り上げるが、上達するためには、よいものをたくさん見ることがいちばんの早道だからである。悪い対話の例を見比べてもコミュニケーション力は上達しない。**質の高い対話の例をたくさん分析し、なぜそれがすぐれているのかと見抜く目を養うことが狙いである。**

良い物か悪い物かわからなければ進歩はできない。私は、本書でとりあげた対話の何がすぐれているのかクリアに説明していくつもりである。本書を読まれた読者の方が、普段の会話の中で、「ああこの瞬間はいいコミュニケーションができた」「この時間は相手とのコミュニケーションに失敗した」という感性が働くようになればすばらしいと思う。

コミュニケーションを判定する価値基準を自分の中に作ってほしいのだ。そのために必要な踏み台として、「質問力」という概念を本書ではメインにすえていきたい。

「質問力」があればすぐれた人から情報が引き出せる

普通、私たちは問いより答のほうに注目しがちである。しかしおもしろい答、正しい答ができるかどうかは、専門的な知識や経験、言語能力などの差によって違ってくる。要するにその人の総合的な実力にかかっているわけである。知識も経験も薄っぺらな人間なら、答も薄っぺらになるわけで、これはいたしかたない。急に変えようといっても無理である。

しかし質問は事情が違う。**自分がたとえ素人でも、質問のしかたによってすぐれた人からおもしろい話を聞き出すことができる。**頭の中で少しでも質問を工夫するだけで、現実は変わってくるのだ。

普通の人は話の場つなぎに何となく質問を発してしまう。沈黙がおとずれた時、とっさに何かを聞かなくてはいけないという切迫感から、その場つなぎで質問をしてしまう。それが普通の人の「質問力」である。聞かれた方もそれほどおもしろい質問ではないが、誠実に答えようとする。

だがくだらない質問が続いていくうちに、もういいかげん答えるのが嫌になってくるだろう。これは大変な損失である。おもしろい話をいっぱい持っているすぐれた人を前にして、話を聞き出すチャンスをみすみす逸していることになる。

人間が成長していくためには、自分よりすぐれた人と対話をするのがいちばん早い。私はテニスをやっていたのでよくわかるが、テニス上達のコツは自分よりうまい人と打つことだ。上手な人はテニスに必要なテンポを持っている。いっしょに打っているとそのタイミングがつかめてくる。また上手な人は、自分より下手な相手には無茶に打ってはこない。徐々に速い球に慣れさせていく。だからその人と打っているだけでかなりうまくなった感じがするのだ。

　コミュニケーションも同じである。対話が上手な人は下手な人にさまざまな助け船を出している。うまい人の話を聞くと、相手に問いを発している場合が多い。「で、この時の気持ちはどうだったの？」「具体的に言うとどうだったの？」と上手に聞くので、対話がうまくいっているように見えるが、それは聞く方がうまいからである。

「質問力」に関してまず大切なのは、**聞き方**がうまければ、**自分に実力**がなくてもおもしろい**人**のおもしろい**話**が**聞き出**せるということだ。質問がおもしろければ、人はどうしても教えてあげたくなってしまう。

　これを私は「教育欲」という造語で呼んでいるが、「教育欲」が動き出す最低限の「質問力」を身につければ、仕事に初めてついた時でも上の人からよい情報を得ることができるだろう。

就職して半年ぐらいの卒業生が私のところに訪ねて来て、こんなことを言った。
「先生が言ったように、よい質問をする『質問力』のある人の方がかわいがられます。でもよい質問をするのは難しいことですね」
たしかに社会人になれば、質問で実力が刻一刻はかられている。「今頃こんなことを聞いているようでは、こいつは見込みがない」とか「こういう事を聞いてくるのは将来性がある。よく勉強しているな」とか「自分なりのものの見方をしようとしているな」といったことが、質問でシビアに判断されているのだ。

質問の仕方はプレゼンテーション以上に、人の実力をあらわにする。プレゼンテーションは、そのときどきのアイディアに左右される。

だが「質問力」はたいがい安定しているものだ。低い人は低いところで安定している。高い人は余計なことは聞かず、肝心なことだけ聞いてくる。はっきりした実力差がある世界である。ちょうど武道のように、何段とか何級という明確なレベルがつけられる世界である。だからこそ、スキルアップしていくことができる。

もちろんこの本では、ケーススタディをしながら上手に質問していくためのコツを具体的にあげていくつもりだ。だが、**いちばん大切なのは「質問力」**というコンセプトをいつも意識する習慣をつけることだと思う。それができれば、「質問力」は確実にアップする。「質問力」という言葉を耳について離れないようにすることで、効果がはっきりあらわれる。これがコンセプトの力というものである。

今までまったく意識していなかった「質問力」という力を認識できるようになると、自分の質問の実力がどれくらいか、常にはかろうとするフィードバックが起こる。それが実力の向上につながる。その回路を作ることがこの本のいちばんの目的である。

本書を一冊読み終える間に「質問力」というコンセプトに完全になじんでほしい。

第一章

「質問力」を技化(わざか)する

1 「質問力」を鍛えるトレーニングメニュー

三色ボールペンで質問を色分けする

私が大学院生の時、海外から招聘（しょうへい）した学者の英語の講演を聞いたことがある。講演が終わったあと、質問タイムになった。日本人はたいてい話が終わったところで質問を考えるので、すぐ手を上げる人はいないのが普通だ。

誠実に考えようとはするが、講演会が終わった瞬間から考え始めるから、聞かれた時に少し間があいてしまう。これでは話した側は非常に不毛な感じにおそわれる。要するに「質問が出ないのは、自分の話が通じていないのだ」と受け取るわけだ。

ところが、欧米だと講演が終わった直後に質問が出る。それが大前提だからだ。私はそれがわかっていたので、**講演**をノートにとるついでに**質問**もメモしていた。

私の場合、質問は三色ボールペンの緑色で色分けする。相手の話をまず青で引いて、大事なところは赤にする。すなわち、相手が話した客観的な事項は青と赤。自分が主観的に思ったことは緑。質問は主観なので、緑色で「?」マークをつけて、英語で質問の文章を書き、それをかっこでくるか、丸でぐるぐる囲っておく。

どうしても聞きたいものは三重丸、それほどでもないものは二重丸や一重丸といった具合にグレード別にしておくと、講演が終わった直後にグレードの高いものから順に聞いていくことができる。

ベストな質問を1つだけ聞くようにすれば、それほど質の悪い質問にはならない。何となく聞いてしまうから、質の悪い質問になってしまうのだ。5個以上質問を作った中でいちばんよい質問をすれば、誰がやってもかなり精度の高い質問ができるはずである。

日本では考えて質問をするという、当たり前のことが意外に習慣化されていないように思う。答を要求される場合は考えて答えるのに、質問の時は深く考えず、何となく聞いてしまう。テレビのキャスターレベルでも、「そんなことを聞いてどうする? よい答が返ってくるはずがないではないか」という凡庸な質問を平気でしていて、驚くことがある。

日本人の「質問力」に関する認識は欧米に比べて格段に低い。「コメント力」も低いが、それ以前に「質問力」がまず低いと思う。

さて私は質問にグレードをつけたが、基準は何だろうか。まず「個人的にどうしても聞きたいがおそらく他人には興味がないだろう」という質問は一番低いグレードに置く。

ところが講演会ではグレードの低い質問をする人が多い。しかもたいてい前提となる自分の経験と知識を延々と話すからたまったものではない。これは状況を認識していない質問の典型である。2人きりならいいが、講演会では多くの人がその質問によって時間を奪われる。そういう状況では、聴衆みんなのためになる質問を意識しなければならないのだ。

つまり「質問力」は状況や文脈を常に把握する力が試されているといえる。質問を聞けば、その人間が場の状況やそれまでの文脈をどれだけ理解していたかが即座にわかってしまう。非常に恐い指標である。

もっとひどい場合には、すでに講演者が話した内容を聞いてしまったり、講演者の真意を取らずに言葉尻を捉えて絡んできたり、あるいは自分の知識をひけらかすような質問や些末なことを聞いてきたり、本当は自分も聞きたいわけでもないのに何となく言ってしまうことがある。

そこで私は自分の講演では、質疑応答の時間を取ることを避けるようになった。質問のレベルがあまりに低く、私が辛いというよりは他の聴衆が苦しいと思ったからだ。私は教師をしているので、質の低い質問に答え続ける訓練を積んでいる。つまらない質問に丁寧に答えるのには慣れている。

しかし他人が苦痛になってしまうことは避けなければいけない。個人的な質問は私に直接してくださいと言うようにしているが、積極的な人の中に的外れな質問をする人が多く、むしろ黙っている人のほうが、よく話がわかっていることがある。逆の現象だと思う。

日本人でしっかり質問できる人は、同時に謙虚さも持ち合わせてしまっているのだろうか。聞かなくても自分で推測してわかってしまったり、個人的なことだから、あるいは専門的な質問だからといって、あらかじめ控えてくれる。日本人独特の特徴だと思う。

長い目でみると、公共的な場での日本人の「質問力」を鍛えるのは非常に大切なことである。

「質問力」ゲームでセンスを磨く

私は大学で「質問力」ゲームをやって、学生たちの能力を鍛えている。これはとても簡単なゲームだ。

40人の学生がいたら5人×8チームに分ける。1つのチームが前に出て順番に自分の好きな本や趣味について短いプレゼンテーションを行なう。各グループは5人のメンバーに1番から5番まで番号をつけておき、1番の人がプレゼンテーションをした時は、各グループの1番にあたる人が全員立ち上がって質問をする。2番の人がプレゼンテーションをするときは、グループの2番にあたる人が質問する。つまり毎回7人が質問することになる。

早く手を上げた人から質問し、座ることができる。ただし同じ種類の質問をしてはいけないので、グズグズしていると聞くことがなくなってしまう。私は学生たちの質問を板書していく。そしてプレゼンテーターがいちばんいい質問を選んでいく。**教師である私が選ぶのではなく、聞かれている当人が選ぶのがポイントである。**

またプレゼンテーターは質問に対していちいち答える必要はない。まずは質問を出させ、その中で選ばれた1つに対してだけ答える。メインは質問のほうにある。選ぶ質問は1つでなく2つでもよい。そして質問が選ばれたグループには1点ずつ得点を与える。こうして各グループがプレゼンテーションを終えた時、得点の多いグループが勝ちになるというゲームである。

ゲームを通してすぐれた質問がわかってくる。「こんなことを聞いてどうする」という質問はまずカットされる。「こういう角度の質問もあるんだ」という驚きの質問もある。あるいは自分が質問を選ぶ側だったら、こういう質問を選ぶのに、今話した人は違うものを選んだということもわかるようになる。

質問が一定レベルを超えると、あとは話し手の好みに左右されることも多い。話し手がもっとマニアックに話したいのか、それとも違う話をしたいのか、テーマを拡げたいのか、煮詰めたいのか、それによって選ばれる質問が変わってくるのである。「質問力」のセンスを磨くゲームである。

メタ・ディスカッション

メタ・ディスカッションの効用

これをもう少し発展させたメタ・ディスカッションというやり方もある。「朝まで生テレビ」のように、7、8人が真ん中に座って討論する。まわりの人がディスカッションを見下ろして、採点するゲームである。**採点者側にまわって上から見下ろす立場に立つと、途端に文脈が見えて来るから**おもしろい。ディスカッションを支配する問いを誰が発しているかがわかってしまうのである。

普通はおもしろい発言をする人に目がいってしまう。しかし本当はそれを導き出した問いがあったはずだ。その問いの設定がなければ、おもしろい話は出なかっただろう。そういうクリエイティブな問いに対する感性が上から見下ろすことによって養われるのである。

これは非常に重要な訓練である。ディスカッションを何回か見ていると、上から見た図が目に焼き付いて映像として残る。あるいは身体感覚として上から見ている感触が体の中に残る。すると自分がディスカッションに加わるようになった時、自分を斜め後ろから見下ろす視線が作られるのだ。すなわち**離れたところから自分を見るという世阿弥の「離見の見」**だ。

その目があれば自分が対話の波にのみ込まれそうな時でも、ひとつ上から引き離して見ることができる。「今ここで対話が停滞しているのは、もしかしたらあの時のあの問いが原因かもしれない」と見当がつくので、「もう一回元に戻すための問いはこれだろう」と対話の流れを修正することができるのである。

学生にディスカッションのテーマを与えても、しばらくするとまったく関係ない討論をしてしまうことがよく起こる。一度対話の波にのみ込まれてしまうと、なかなか抜け出せないものだ。とくに今話している相手に対して誠実に話そうとすればするほど、泥沼にはまってしまう。これほどばかばかしい事態はないだろう。要求されているテーマにまったく沿っていないのだから、一度断ち切ってもう一度設定し直す必要がある。

メタというのはギリシャ語で〝超える〟という意味だ。超えて、上から見下ろすという視点を持つことが質問に対しての意識を生むのである。

上から見ている学生はノートを取りながら観察するので、誰の発言がよかったか、かなり鋭い意見を言う。ディスカッションをさせるとそれほどでもない学生でも、採点者側にまわったとたん恐ろしく鋭いコメントを発する。表面の事柄にとらわれず、本当に充実したディスカッションを引き出している陰の主人公にちゃんと注目しているのだ。

彼らはその時「質問力」の重要性に気付く。**滔々**（とうとう）としゃべっている人がすごいのではなく、**質問を出した人で場は支配されている**ことがわかるようになる。これも「質問力」を鍛えるトレーニングのメニューである。

鍛えるチャンスは日常会話にあり

今説明したのはゲーム化したものだが、日常のすべての対話がコミュニケーションを鍛えるチャンスだ。コミュニケーションの基本は一対一つまり2人の対話だから、これを徹底的に習熟させることで、3人でも5人でも対応できる形になっていくだろう。まずは2人の対話を深めるのが先決だ。

要するにサッカーと同じだと思うが、2人でパスをしあうのがいちばん簡単だ。2人なら相手を見て、確実にパスができる。他に邪魔をする敵もいないし、選択肢もそれ1つに限られている。にもかかわらず、正確なパスが出せないとすれば、複数で行なう試合でパスが出せるわけがない。出せたとしてもそれはまぐれだ。

多くの人数でディスカッションするのは、サッカーのゲームのように複雑な力学が働く。一対一の訓練ができていないと、複数の人間の中でクリエイティブな関係を作るのは難しいだろう。

本書で取り上げるテキストも一対一で深まっている対話の例を取り上げている。コミュニケーション力の中でも「対話力」がいちばん一対一をイメージしやすいからだ。「対話力」を「質問力」というポイントから分析するのがこの本の大筋である。**「コミュニケーションの秘訣は質問力にあり」**というのがこの本の大きなメッセージである。質問さえできれば、コミュニケーションはほとんど大丈夫だとさえ言える。

老若男女と必ず瞬間的に対話を深めることができるのが理想だ。あるいは外国人と語学力は別にして、きちんとコミュニケーションができることが理想である。自分と価値観の合う人や同年代の人、同じ状況の人しかうまく話せないというのでは、コミュニケーション力はないと言っていい。

今は自分と同質の人と対話をする時間が圧倒的に長い。昔に比べると兄弟も少ないし、異年齢で遊ぶこともなくなっている。いとこも少ない。おじさん、おばさんとあいさつをすることも少ない。要するに自分と同じような人と同じ時間を過ごしているわけだ。つまりホームで試合をやっているようなもので、アウェイの試合には弱い。

しかし質問さえできれば、アウェイでもコミュニケーションができる。アウェイというのは相手がよくわからない状況をいうが、そんな時でも質問次第で相手の言葉を引き出せる。それによって相手の状況がわかってくるから、さらに深めた質問をする。その繰り返しによって「気が合うね」という状況をつくり出すことも可能である。

人間ジュークボックスにならないために

気が合うとは気質が合うのはもちろんだが、気質の問題以上にコミュニケーションを滞りなくつなげていく力に影響される。スムーズに対話が続けば、「あの人は好きだ」とか「あの人はいい人だ」という評価になるだろう。

はっきり言うと、頭のよさは文脈をつかむ力だといえる。文脈をつかめない人はやはり頭はよくないとみなされる。みんながみんな新しいアイディアや発明を生み出せるわけではない。しかし**文脈を外さず、キッチリと織物を織っていくように対話ができる能力は、練習すればほとんど誰でもができるようになる。磨けばのびる能力なのだ。**

だがこれができる人は、全体のなかでそれほど多くない。相手の経験世界と自分の経験世界を絡み合わせることなく、自分の経験だけを滔々と語る人が少なくないのだ。

言ってみれば人間ジュークボックスである。私が発したひと言がその人の第何番というジュークボックスのスイッチを押したことになると、10分間は誰も口を挟めない。たしかに持ちネタなので面白く聞いてしまうが、それだけでしかない。

高齢になって惚けてくると、相手の経験世界や相手の文脈と自分の文脈を絡めて話すことができなくなる。たしかに惚けた人でも戦争中の話のようにとてつもなくおもしろい話をすることがある。これもまたすぐれたジュークボックスのようだが、相手の世界と絡まないから、セッションにならない。悲しいかな、ジュークボックス相手にライヴは作れないのだ。

2 「質問力」の達人になる

おもしろい話をするからと言って、対話上手とは限らない

人の絶対的なコミュニケーション能力は外から見てもある程度判断できるが、自分が相手と対話した時、より鮮明になる。自分が演奏者の一人になってセッションした時、相手がうまい奏者だと自分が下手でもそれに合わせてうまく演奏をしてくれる。そういう人になる必要がある。

言葉がやり取りされている水面下には相手にも自分にも経験世界がある。誰もが自分の経験世界を話したい。だから**自分の話**をしながら**相手の経験世界**をくみ**取り**、**うまく引き取って**、**自分**のおもしろい**話**につなげていく。それができればいちばんいいわけである。つき合いが長ければ、互いに経験世界を知っているので話は続く。だから仲のよい人同士の方が話はしやすい。

しかし同窓会で20年くらい会っていない同級生に会うと、最初の5分、10分は盛り上がるが、その後は何を話したらいいかわからなくなる。20年分の経験世界が抜けているので、そこから繰り出すネタがないのだ。

上手な対話者の場合は、自分の経験世界を会話の中に織り込みながら話をする。すると表面の話だけではなく、ここ何年か自分がどんな経験をしたかを話すことになる。さらに相手の経験世界からも上手に話を引き出す。これが「質問力」である。

おもしろい話をするからと言って、対話上手とは限らない。

私はいろいろな人と対談をしたが、私の経験世界を一度も質問しなかった人もいる。私が相手の経験世界から何かを引き出そうと質問すると、向こうは自分の経験世界だから話が一挙に噴き出して来る。それを受けて私の方に「あなたの場合はどうだったでしょうか」と聞けば、少なくとも話は絡み合っていくわけだが、その程度の質問もできない。要するに自分しか文脈がないという人もいる。

これは仕事で一流であるかどうかということと必ずしも一致しない。コミュニケーション能力があったほうが仕事をゲットしやすいが、それがなくても一流の仕事をすることは充分にありえる。

図①

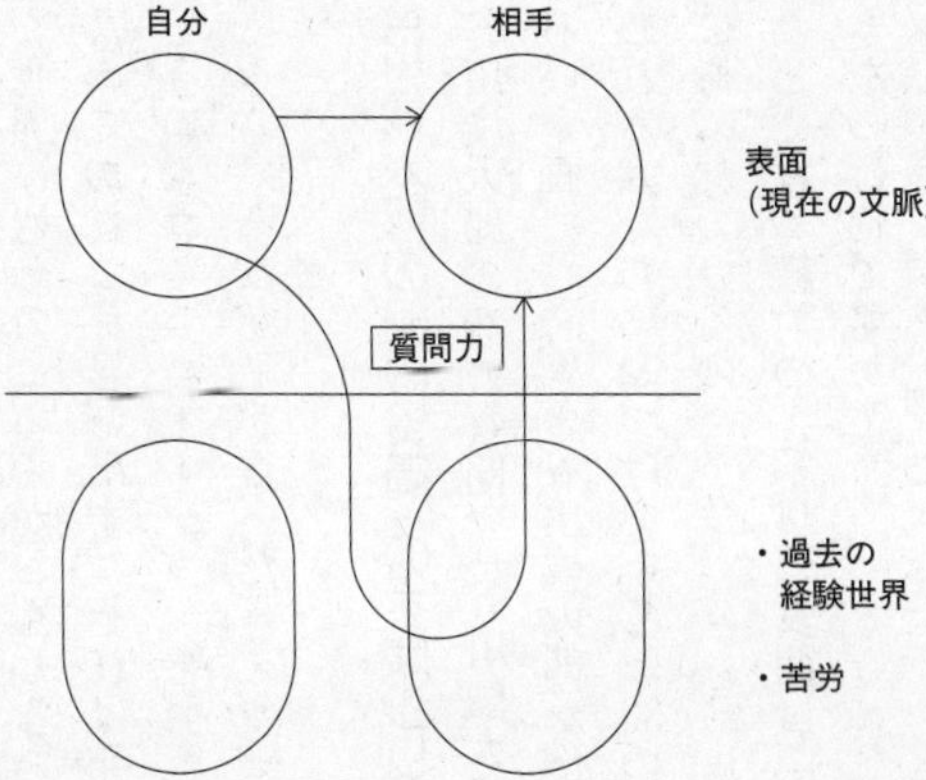

だが、**楽しい場**を**作って**いくためには**お互い**に**経験世界**を**混ぜ合わせる**ことが**大切**だろう。双方の脳味噌を混ぜ合わせられる快感が、充実した時間を過ごしたという感覚につながるのである。

このように経験世界を絡み合わせるための鍵が「質問力」である。図でいくと(図①)、表面の話題だけでなく、斜めに相手の過去に切り込んでいく質問が望ましい。**相手の苦労**や**積み重ね**てきたものを**掘り起こす**ような**質問**ができると、**少なくとも相手**にとっては**深**まった**話**ができた**印象**になる。

今話している表面のテーマに一見関係ないようでも、ある角度を付ければ、関係する過去の経験が出てくる。すると話題に奥行きが出てくる。相手が持っている主観的な世界に対してこちらがおもしろいと感じて質問すると、相手は「そう言えば」と言ってあれこれ思い出す。それは発見であり、非常にクリエイティブな関係だ。

そういうコミュニケーションを引き出す「質問力」には明らかにコツがあり、技化できる。それが私が言いたいメッセージである

『谷川俊太郎の33の質問』のすばらしさ

『谷川俊太郎の33の質問』『谷川俊太郎の33の質問続』(ちくま文庫)は非常におもしろい企画だ。詩人の谷川俊太郎が作った33個の質問を、それぞれの世界で一流といわれる人たちにぶつけていく。33の質問のヴァリエーションがさすがというセンスにあふれているのだ。

たとえば『続』の1番目の質問は「金、銀、鉄、アルミニウムのうち、もっとも好きなのは何ですか?」

あまりにも具体的で、これを聞いてどうしたいか、よくわからない。気が利いているのはアルミニウムである。金銀鉄まではわかるが、アルミニウムと言われた時、

脳が開かれる感覚に陥るのは私だけだろうか。ごくまれにアルミニウムと答える人がいるかもしれない。**非常に具体的な質問によって人の想像力を喚起する、そんな事を考えてもみなかったという質問だ。**

4番目の質問は「アイウエオといろはの、どちらが好きですか？」というもの。「アイウエオ」と「いろは」を比べてみた人は少ないだろうが、言われてみればどちらか好きなほうを選ぶことができる。その理由は何だろう？　ということで、自分が今まで考えてもみなかったことを考え始める。**自分の好き嫌いや価値観を知るきっかけになるいい質問だ。**

もう少し深い質問では7番の「前世があるとしたら、自分は何だったと思いますか？」がある。これは後述するが、**「具体的かつ本質的」**な質問である。非常に深いという意味では本質的であり、また答が具体的にならざるを得ないという点ではとても具体的な質問だ。

8番の「草原、砂漠、岬、広場、洞窟、川岸、海辺、森、氷河、沼、村はずれ、島——どこが一番落着きそうですか？」という質問は具体例があがっているので答えやすい。ヴァリエーションが豊富だから選ぶ方も楽しくなる。さらに比較する答がたくさんあるので、なぜそれを選んだのか思考のプロセスも説明しやすい。「一番落ち着く場所はどこですか？」と聞かれたのでは、答えられない人は多いだろう。「わからない」とか「微妙」と答えるかもしれない。「微妙」と言われるともう二の句がつげなくなってしまう。

最近の若者は「微妙」という答を好んで使うようである。『週刊ポスト』のライターの輔老心（すけたけしん）さんから聞いた話だが、若い女の子に恋愛のことなどをインタビューしたところ、何を聞いてもすべて「ビミョー」と答える女性に会ってショックを受けたという。質問のいかんにかかわらず、「ビミョー」と答える。それもよく考えてから「うーん、微妙」と答えるのではなく、即座に「ビミョー」と断言されてしまう。「おまえ、それは微妙でも何でもないだろう」とつっこみを入れたくなるほどだったそうだ。

この場合は「ビミョー」と答える人自身が堂々めぐりの溝にはまってしまったわけだが、これほど極端ではないにしても、「微妙」と答えたくなるような質問もある。

もし漠然と「世の中で一番大切なことは何だと思いますか？」と聞かれたら、私でさえ「うーん、微妙だなあ」と言ってしまうかもしれない。質問が抽象的すぎるからだ。しかし谷川俊太郎の8番目の質問はヴァリエーションをつけて具体的に答えられるようになっているおかげで、自分の中の価値基準も整理される。

　谷川俊太郎は仕掛けのうまい人だから、11番にはこんな質問もある。「もしできたら、〝やさしさ〟を定義してみて下さい」。やさしさを定義しろと言われても難しい。定義とは何かの事物を説明しきることだから、考え込んでしまわざるをえない。

　あるいは16番のように「きらいな諺（ことわざ）をひとつあげて下さい」という質問もある。好きな諺ではなく、**わざわざ「きらいな諺」とした点に普通とは角度の違う質問がなされている**感じがする。

　21番は「素足で歩くとしたら、以下のどの上がもっとも快いと思いますか？　大理石、牧草地、毛皮、木の床、ぬかるみ、畳、砂浜」とある。これは身体感覚を問う質問である。身体感覚は人の過去の経験世界に結びついている。だから、具体的かつ非常に深い世界をついた質問である。

「あなたは過去どんな生き方をしてきましたか？」という質問より、「素足で歩く時、大理石とぬかるみのどちらを選びますか？」と問うほうが、何となく伝わってくるものがある。田んぼの近くで育った人はぬかるみを選ぶといったように、その人の経験世界の何かに触れられるということだ。

22番は「あなたが一番犯しやすそうな罪は？」というものだ。非常にそそられる質問である。考えてみたことはないが、どこかで薄々考えた事があるような、無意識と意識の境目をついてくる質問だ。

もっとも想像力を要求されるのは27番目。「宇宙人から〈アダマペ　プサルネヨリカ〉と問いかけられました。何と答えますか？」という質問である。これは恐ろしく機転が必要である。

このようにいろいろなヴァリエーションの質問を33個用意しているわけだが、中でも私が感心したのは2番の**「自信をもって扱える道具をひとつあげて下さい」**というものである。

これは大変すぐれた質問だ。その人のほとんどのことがわかってしまうくらいである。会社の面接試験で使って欲しいと思うほどだ。そもそも自信を持って扱える道具があるかないかということは非常に大きい。それまでの人生で、その人が何にエネルギーをかけてきたのかがわかってしまうからだ。

宇宙人から問いかけられたら——

たとえば私はテニスを長くやってきたので、ラケットは自信をもって扱える。しかしラケットだけだろうかと考えるとそれだけではない。

私は読書を中心として膨大な日本語の練習を、千本ノックのように続けてきた。だから、日本語なら自信をもって扱うことができる。日本語を道具とみなせば、私は日本語を読み間違えることはないし、自分の感情や考えを言葉で表現しきれていないと思うこともない。そういう意味では日本語を答にしたくもなる。あるいは三色ボールペンも自信を持って扱える道具である。

このように「自信をもって扱える道具をひとつあげて下さい」という質問は**自分が**

今まで来たことをクリアに考えることができる、「具体的かつ本質的」な問いである。

もしこれをテーマに2人の人が話せば、非常に深い話ができるだろう。共通のテーマと成りえるよい質問だ。その道具の名前で相手を呼び合ってもいいくらいはっきりとその人の人生が投影される。

ところでこういう質問を作ることができたのは偶然ではない。それだけの実力があるということだ。ましてや33個のヴァリエーションをつけて並べるのは並大抵の力ではない。まさに「質問力」のプロフェッショナルである。

私は谷川俊太郎さんと対談したことがあるが、私がどんな球を投げても取ってくれるし、打ち返してくれる。話しているうちにどんどん話が深まっていくので、非常に話しやすかった。その意味では単に人付き合いがいいとか、人あたりがいいという次元を超えて、「質問力」を技化(わざか)している人だと思う。

コピーライターの資質を一瞬で見抜く質問

谷川俊太郎の質問もすばらしいが、もうひとつダ・カーポ別冊『投稿生活』(2

002年6月1日号）という雑誌に掲載されたコピーライターの仲畑貴志さんのインタビューに、秀逸な質問の例があったのでここに紹介しておこう。

仲畑さんの事務所でコピーライターを募集した時の質問だ。仲畑さんの質問をご紹介する前に、一瞬ご自分で考えてみて下さい。

「もし自分が経営者でコピーライターの社員を雇う場合、あなたは入社試験でどんな質問をするでしょうか？」

質問自体はコピーライターの専門家でなくても何とか考え出せるものだ。だがよい答は難しい。

仲畑さんの質問は**「あなたがいいと思うコピーを10個書いてください」**というものである。仲畑さんによれば、この答を聞いただけでだいたい能力がわかるというのである。もしあげた10個のコピーがセンスの悪いものだとすればその人に見込みはない。センスの悪いコピーライターを雇ってしまえば、その人に毎月払う給料はドブに捨てているようなものだ。経営者にとっては深刻な問題である。

よいコピーが生み出せるかどうかは、世に出ているコピーの良し悪しを見分けるセンスと密接に関連している。審美眼があれば、自分の作ったコピーがよいものかどうか判断できる。よくないものであれば、もっとよいコピーを思い出してブラッシュアップしていくだろう。

しかし自分がインパクトを受けたコピーがよくないものだとすると、いくら自分のコピーにヤスリをかけようとしても、ヤスリ自体がよくないのだからブラッシュアップしていきようがない。

10個あげたコピーを見れば、その人の傾向がはっきりわかる、具体的かつ本質的な非常にすぐれた質問といえよう。この質問は応用がきく。

たとえば「あなたが今までの人生でインパクトを受けた本を10冊あげてください」とか「映画をあげてください」とか「人物を何人かあげてください」など、ヴァリエーションを付けられる。**問いの構造**がしっかりしているので、その**業界ごとに変化させればいい**。たまたま出た質問ではなく、よく練られた、構造がすぐれている質問である。

そもそもコピーを10個あげられない人がいれば、勉強不足である。最近は入社試験でしっかり業界研究せずに、ただ憧れで受けてしまうことがある。だから最低限勉強して来いというメッセージも含まれる。また母集団が20個から10個選んだのか、一〇〇個から10個選んだのかで、その10個は違ってくる。10個出せるかどうかも重要だが、選んだ10個の母集団も重要である。

たとえばお菓子業界のコピーだけをあげてくれば、その人は非常に片寄った勉強をしていることになる。一方いろいろなジャンルから選ばれていれば、アンテナの幅が広い証拠だ。答から、それが出された貯水池の奥行きを推しはかることができる。

谷川俊太郎の33個の質問のヴァリエーションの多さからも、捨てられた質問の多さを感じ取ることができる。ふところが深く、聞いている以上のものがわかる質問である。

質問は網だ。しっかり作っておけば、いい魚がとれる。

第二章

いい質問とは何か？——座標軸を使って

1 「具体的かつ本質的」な質問を意識する

この章ではいい質問とはどういうものかについて少し整理してみたい。その際、何となくこれはよかった、悪かったという行き当たりばったりの感覚で決めるのではなく、座標軸を使ってクリアに質問の種類を整理してみたいと思う。

私は座標軸を使った座標軸思考法という考え方が好きで、いろいろなことを整理するのに使っている。その観点から「質問力」を整理してみると大変わかりやすい。基本的な押さえ方を図化すると、まず第一章でも述べているいい質問のキーワードは**「具体的かつ本質的」というものである。**では、そうではないものにどういうものがあるのか、座標軸を使うとはっきりする（図②）。

まず縦軸（y軸）の上がプラス方向で具体的、下がマイナス方向で抽象的とする。横軸（x軸）の右がプラス方向で本質的、左がマイナス方向で非本質的とする。

図②

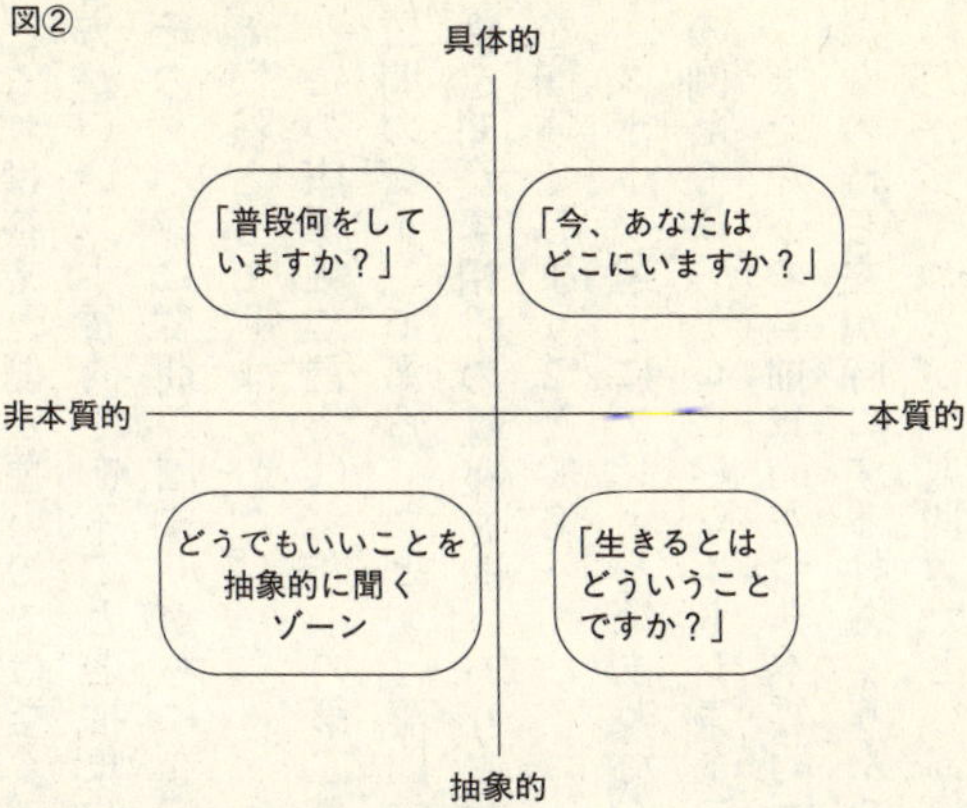

つまり右上が「具体的かつ本質的」な質問のゾーンになるわけだ。

右下、数学で言うと第四象限は「抽象的かつ本質的」な質問で、たとえば「あなたにとって生きるとはどういうことですか？」とか「人生で最も大切なものは何ですか？」と聞かれて「愛」と答えるような、不毛に近い対話である。「今のお気持ちは？」と聞いて「嬉しいです」と答えるのも同様である。

確かに問いは本質的だが、聞き方があまりに抽象的なので答も抽象的にならざるを得ない。「愛」とか「嬉しい」という言葉に込められた気持ちに複雑なニュアンスはあるかもしれないが、答として出てきたも考えた側が悪いのではなく、インタビュアーの「質問力」のなさと考えた方がいい。本質的であることと抽象的であることは一見似ているから、どうしてもそのゾーンに質問が固まりがちになる。大事なことや真面目なことを聞こうとすると漠然としてしまうのだ。

この座標軸で言えば、左上の第二象限にあたる部分は「具体的かつ非本質的」な質問のゾーンである。たとえば専門性の高い知識を有している相手に、専門的な事柄を聞かず相手の星座を聞いたり、「普段何をしていますか?」という些末なことを聞いてしまうことである。

スポーツ選手にプレーとはまったく関係ないプライベートなことを聞くのも、この例だろう。テレビのワイドショーのように一見盛り上がるが何も生み出さない。

また左下の「抽象的かつ非本質的」という質問もある。哲学的にねじれてしまった頭の持ち主が時にする妙ちくりんな質問だ。

だが多くの人が「質問力」という概念を持たないで質問すると、必然的に右下か、左上のゾーンに固まってしまうのではないだろうか。それを右上の「具体的かつ本質的」な「質問力」のある質問のゾーンに変えていく必要がある。

先程の『谷川俊太郎の33の質問続』で、「金銀鉄アルミニウムのどれが好きか」という問いは一見本質的には見えない。だがその質問がいちばん初めに来ることで、後の質問に答える気楽さが生まれて来る。最初に深刻な質問が来てしまうより気楽でいい。最初に誕生日を聞いたり、出身地を聞くことで対話がなごやかに進むのと同じだ。

もちろん左上の「具体的かつ非本質的」な質問や右下の「本質的かつ抽象的」な問いを好む人もいる。いわば宗教ゾーンともいえるこの右下のゾーンの本がけっこう売れている現状をみると、人生普遍の問いが好きな人が世の中に少なくないことがわかる。

しかしクリエイティブな対話や新しい意味を生み出すためには、やはり右上の「具体的かつ本質的」な質問ゾーンを常に意識することが大切なのだ。

座標軸を技化（わざか）することは非常に重要である。一回見ただけではあまり効果がないが、いつも自分の質問を座標軸にあてはめてチェックする習慣をつけておくと、質問を発する時に座標軸が自然に頭の中に浮かんでくるようになる。すると、「ああ今は右下をやってしまった、もっと具体的なことを聞かなければ」というような修正機能が働くようになるだろう。

いつもこの座標軸を心に持って話をするだけで、格段に質問は違ってくるはずだ。

その意味では座標軸自体がすでに「質問力」の技になっているといえるのである。

2 頭を整理させてくれる質問

もう一つ別の座標軸を紹介したい。図③がそれだが、縦軸のプラス方向が「自分が聞きたい」、マイナス方向は「自分は聞きたくない」である。横軸は右側のプラス方向が「相手が話したい、答えたい」で、マイナス方向が「相手は話したくない、答えたくない」になる。この座標軸は非常にシンプルだが、意外に整理がきく。

まず左上の第二象限は**「自分は聞きたいが、相手は答えたくない」**というゾーンになる。ここは**「子供ゾーン」と名付けたい**。子供は自分が疑問に思うことをやたらと質問してくる。しかし大人はうるさくて答えるのにうんざりしてしまう。「テレビは誰が発明したの」と聞かれてもわかるわけがないし、興味もない。しかし子供はしつこく聞く。相手の事情や文脈をあまり理解しない自己中心的な質問といってよい。

図③

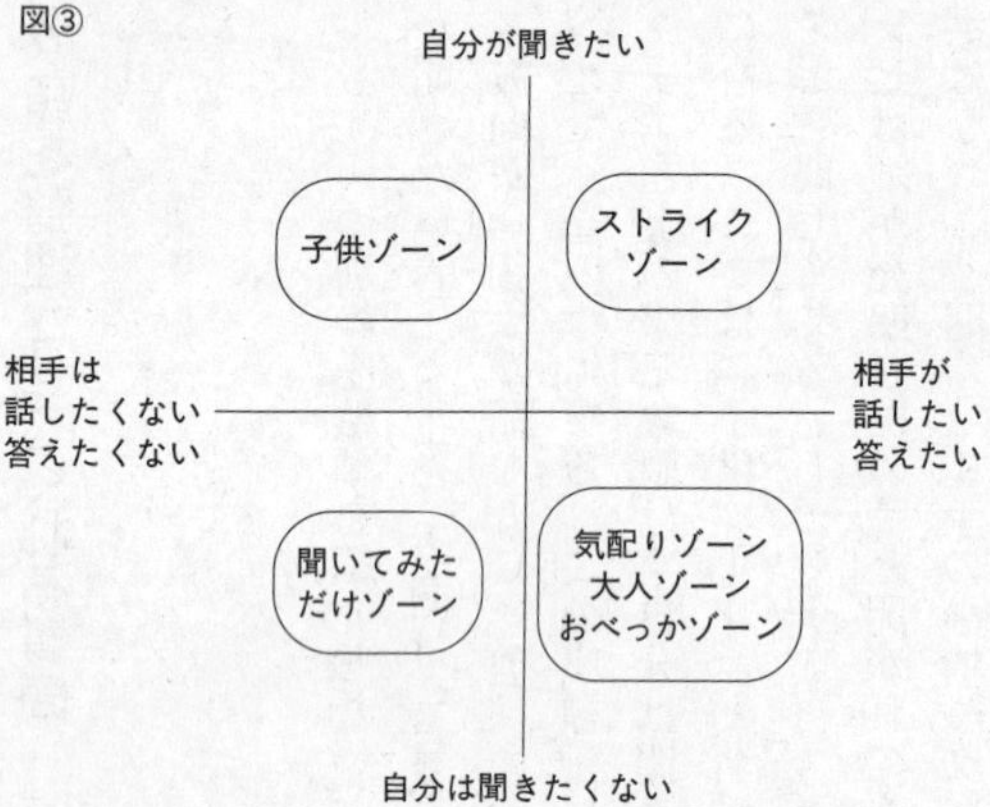

最近、私はこのゾーンにぴったりとあてはまるある経験をした。自分の息子を連れて私が主催している「斎藤メソッド」という塾に行く途中の出来事だった。

たまたま最近買った中古車にはカーナビがついていて、小学校6年生になる息子はいたく興味を覚えたらしい。カーナビの質問を延々と私にしてくるのだ。だがそもそも私は機械音痴だし、カーナビに興味もない。

私の興味や関心とまったく関係なく質問をし続けて平気な感性に、私はついに耐えられなくなった。そこで私は息子に向かってこう宣言した。「おまえが生まれてから10年あまり、あらゆる質問に耐えてきたが、今日を限りに耐えるのをやめた」

質問とは相手の状況、相手の興味、関心を推しはかり、自分の興味や関心とすりあわせてするものである。自分の一方的な興味だけで聞く質問は、相手にとって苦痛以外のなにものでもない。

さらに私は息子に言った。「今、おまえに許される質問はたった1つだ。さあ、それは何でしょう」。息子はさすがにカーナビとは言わなかった。しばらく考えていたが、「本を読めっていうことと関係ある？」と聞いてきた。というのは私が始終「本を読め」と言っているからだ。

しかしそれは私が常に言っていることであって、今この車の中で必要とされている質問ではない。たった1つ許されている質問とは、「今日の塾ではいったいどんなことをやるつもりなのか」ということだ。

私の頭の中はこれからやる塾の授業のことでいっぱいである。今日は何をしようか頭の中で授業のことが高速で回転しているわけだ。なおかつ息子はその塾に参加するために車に乗っているのである。

2人が一緒にいるのは親子だからということもあるが、塾に行くためであって、その文脈を理解すれば塾に関わる話をするのが当たり前である。その質問をしてくれれば、私は塾のメニューについて語りながら、自分の頭を整理することができただろう。人に語ると整理ができる。これは頭を整理する鉄則だ。

逆に言えば、**頭を整理させてくれるような質問を自分にふってくれる人はありがたい**。だから、一生懸命答えたくなる。それが呼び水になって、ああしてみよう、こうしてみようと語り合いながら、目的地に着く頃には一応メニューが仕上がっている。それが理想的な時間の過ごし方である。

あるいは、まるで罪の無い話をしてリラックスするのもいい。「具体的かつ非本質的」な質問によってリラックスすることはあり得る。しかし私はその時、必死に考えざるを得ない主催者の立場だったので、「具体的かつ本質的」な質問が欲しかった。

息子との間には10年の歳月を耐えて、「質問力」の座標軸における禁止ゾーンをつくったというわけだ。

3 現在と過去が絡まり合う質問

今のエピソードに関連して、もうひとつ別の座標軸（図④）を作ることもできる。縦軸のプラス方向は「今現在の文脈（状況）に沿っている」、マイナス方向は「今現在の文脈（状況）に沿っていない」となる。横軸はプラス方向が「相手の経験世界、つまり過去の文脈に沿っている」、マイナス方向が「相手の経験世界、つまり過去の文脈に沿っていない」となる。

先程のカーナビの質問は、今現在の文脈にも沿っていないし、相手の経験世界にも沿っていない。では本に関する質問はどうだろうか。読書については私が延々とやってきたことだから、過去の経験には沿っているが、今、塾に向かう車中にあるという現在の文脈には沿っていない。

では「今ここでたった1つ許される質問は何か」と聞かれたら、**今現在の文脈に**

図④

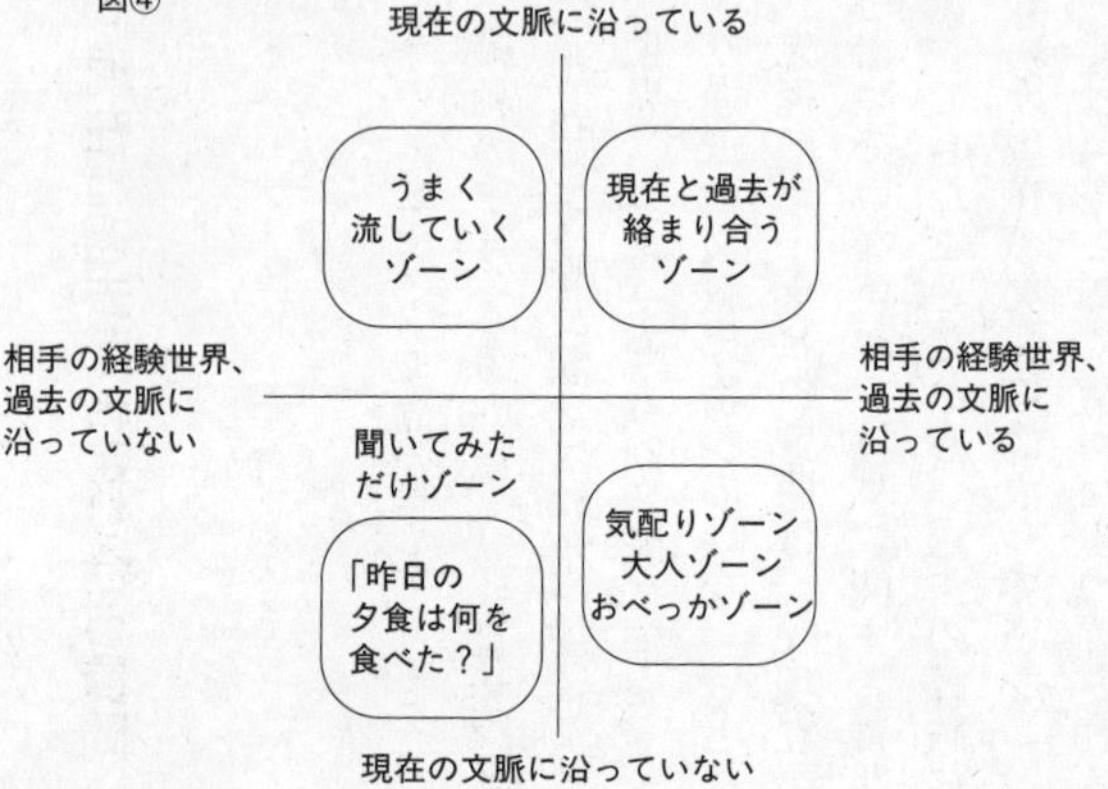

も**沿い、私の過去の経験世界にも沿う問い**を考えればいいわけだ。座標軸でいえば右上のゾーンに入る質問を考えればいい。

その対極にあるのが今現在の文脈にも沿っていないし、相手の経験世界にもフィットしない、「昨日の夕食は何を食べた？」というような、今なぜわざわざこんなことを聞くのかという質問である。

しかし、**何でも相手の経験世界に踏み込めばいいというものではない**。たとえばフランス料理を食べている時、いきなり相手の過去の深い話を聞けば、「せっかく料理を味わおうとしているのに、そんなこと聞かなくてもいいじゃないか」となる。そんな時は料理の話やワインの話をしてもいいだろう。

必ずしも過去の経験に沿っていなくても、今現在の文脈で、出てきた料理、飲んでいるワインについて質問するのは間違いではない。

同様に、今現在の状況にフィットしているテレビ番組の話やスポーツの話をするのもいいだろう。つまり左上の「今現在の文脈には沿っている」が「過去の文脈には沿っていない」ゾーンである。ここは状況を「うまく流していくゾーン」といってもよい。

もう一度整理してみよう。右下がどのようなゾーンかと言うと、自分はあまり聞きたくないが、相手はその問いに答えたくなる。これは「気配りゾーン」だ。友だち同士ではあまりないが、少し距離のある知り合いや仕事上の付き合いの相手に対してはよくありがちである。自分は興味がなくても、相手が関心を持っていれば、質問して相手を盛り上げる。

まさに「大人ゾーン」と言うこともできる。これができるかできないかで社会生活に差がつく。しかしこのゾーンばかりに集中して質問する習慣がつくと、それは「おべっかゾーン」ということになる。

「大人ゾーン」の質問

たとえば自分はゴルフにまったく興味がないのに、上司がゴルフ好きだから「部長、最近ゴルフの方はどうですか?」と聞いてしまう。部長が得意気に話すのをおもしろそうに聞かなくてはいけない。

あるいは人の息子のことなどまったく興味がないのに「息子さんはお元気ですか?」と聞くケースも同様だ。「どうですか? 奥様は? お孫さんは?」というような話のふり方をすると、相手が喜ぶ。そこから話が盛り上がるから、世間づきあいという意味では一つの「質問力」として使える方法ではある。

右上のゾーンは自分が聞きたいし、相手も答えたい。ここは正道の「ストライクゾーン」だ。相手が答えたくない質問を連発していたら話は盛り上がらないが、相手も答えたいことであれば、一層盛り上がっていくだろう。このゾーンが基本である。

しかし実際にはこのゾーンをはずれて、気が付くと「子供ゾーン」にはまっていたり、過剰な「気配りゾーン」に走っていたりする。一度はっきり座標化して意識化することが大切である。**つまるところ自分の興味と相手の興味をすりあわせて質問を考える**ということだろう。

左下のゾーンは「聞いてみただけゾーン」である。これは相手が答えたくない上、自分も別に聞きたくなかったことを聞いているゾーンだ。こんなゾーンの質問をする人間がはたしているのかというと、実際にいる。

私がゼミで解説をしていると、授業の腰を思いっきり折るような質問をしてくる学生がいる。その質問のおかげでそれまでの勢いがぶち切られてしまうのだ。なぜこの場面でその質問をふるのかと、一瞬怒りを覚えるくらいである。

しかし私も教師生活が長いので、すぐに怒りを収めて質問に答える。すると質問した当人がよそ見をし始める。「おまえ、もう聞く気なくしているだろう」と言うと、「すいません、聞いてみただけです」という。ゼミをやっていると、そうした質問は頻繁に起こる。何とかしてもらいたいものである。

4 会社の命運を決めたたったひとつの質問

　では実際に座標軸に照らして、すぐれた「質問力」の例をひとつあげてみたい。一橋大学教授の米倉誠一郎著の『ジャパニーズドリーマーズ』（ＰＨＰ新書）には〝ＴＳＵＴＡＹＡ〟というレンタルビデオのベンチャー企業に転職した小城武彦という人の話が出てくる。

　ｉモードが登場した時、彼がｉモードを使って行なった市場調査の質問がすばらしい。

「わからないことは、お客様に聞け、というのが私たちの会社では徹底されています。このときも、ｉモードを使って、金曜日の昼間三十分以内にアンケートに答えてくれたら特典をさしあげますという実験をやりました。なんと、三万通のメールに対して、二〇〇〇通もの返信があり、リスポンスの高さに大変驚きました。

アンケートの中に一番聞きたい質問として『いまあなたはどこにいますか』という質問を入れました。驚くべきことに過半数の人が学校か職場にいることがわかりました。授業中や勤務時間中に携帯を操作してアンケートに応えてくれているわけです。iモードはウェブとはまったく異なった、とんでもないメディアであることがわかったわけです」

アンケートの質問を考えるのは非常に難しい。質問のしかたによっては具体的な答が返って来なかったり、本質的なことがわからない。失敗するとまったく回答なしということもある。私も以前、100人中90人が無回答という質問を作ってしまった経験がある。

大学の先生に対する質問で「あなたの同僚あるいは知り合いで面白い授業をやっている方がいらしたら、その人の授業のやり方をお教えください」というものだった。無回答だったのはおもしろい授業をしている人をほとんど誰も知らないし、興

ｉモード中のゴールキーパー

味もなかったのだろう。負け惜しみを言わせてもらえば無回答ということ自体、授業について相互に語り合っていないことがわかったので、効果はあったと思っている。

このように質問の内容によって調査できる事柄が大きく変わってくる。ｉモードを使ったアンケートで、ｉモードの影響力をはかる一番最適な質問は、**「今、あなたはどこにいますか？」**というものだった。

これは大変すぐれた質問だ。「あなたは一日にｉモードをどれくらい使いますか？」と聞いても間接的な答にしかならなかっただろう。リアルタイムで今どこにいるのか聞くことで、驚くべき回答が得られたのだ。

大多数の人が学校か職場にいる。つまり授業中や仕事中にiモードを操作してアンケートに答えていた。ウェブと違ってiモードはどこでもできるとんでもないメディアだということが、この質問1つでリアルにわかったわけだ。iモードの影響力を聞くのにこれ以上ふさわしい質問はなかったのである。

TSUTAYAはいち早くiモードを利用した集中戦略をとり、成功をおさめる。「今、あなたはどこにいますか」という質問は、ゾーンで言うと「具体的かつ本質的」なゾーンである。iモードの本質がはっきりわかる内容を持っていながら、あまりにも具体的な「どこにいるのか？」という質問になっている。**具体的な事柄を聞きながら、本質的な事柄に迫ることができるのが、具体的かつ本質的な「質問力」**のゾーンとなる。

質問は充分練って作らなければならない。いくつか考えた上で取捨選択して選んでいく。あるいは1つの質問をブラッシュアップさせていく。これが練るという作業だ。質問次第で後の作業が変わってくる。

答は必ずしも深く練る必要はないが、質問の方はよく練っておかないと、その後のパフォーマンスや結果が大きく変わってしまう。**質問は思いつくものではなく、**

練り上げるものと思うのが上達の近道である。

第三章

コミュニケーションの秘訣——①沿う技

1 「うなずき」から「言い換え」へ

「うなずき」と「あいづち」の技

ここまで「質問力」について大筋で整理してきた。第三章ではよりシンプルな原則を出してみたい。

コミュニケーションの秘訣は「沿いつつずらす」ことにつきる。これは私が標語化して、キャッチフレーズのように使ってきた言葉だ。人と対話する時、相手に沿った話をしないと乗ってこない。しかし沿っているだけでは話は発展しない。沿うことを前提とした上で、角度を付けて少しずらしていくのが私が経験的に得たコミュニケーションのコツである。

この経験の背景には身体の技法の訓練がある。たとえば武道ではいきなり相手を倒すこともあるが、まずは相手の動きに沿い、その動きを利用して間合いをとりながら身体をずらして技を決める。相撲の上手投げや下手投げも、相手の動きをまず自分の体に吸収して沿っておくと、2人の体が1つになる瞬間がある。そこからまた自分の体の方向性をずらしていくと技が決まりやすい。

2人の方向性が一致しエネルギーが1つになった時、そのままでいれば2人は一体となって動きは起きない。だが、あえて相手が本来持っていない方向へずらしを入れると、非常におもしろい効果が出るのである。

言葉のやり取りも同じだ。私は身体次元におけるコミュニケーションを研究テーマにしてきたので、対話も身体を基盤に考えている。**相手とコミュニケーションをとるには、まず身体の次元で寄り沿って話をするのが基本だというのが私の考えである。**

対話において、相手に「沿う」とは、身体レベルで言うと「うなずく」に当たる。うなずきがしっかりできていると、沿ってもらっていると感じるので話す側が勇気づけられる。若い人は簡単にはうなずかないが、社会人になるとうなずく人が格段に増える。知らない人や友だち以外の人とうまく関係を保っていくためには、うなずくことが大事だと学習してきたからだ。

重要な仕事や大切な付き合いでは、うなずく回数が増える。また田舎の人の方が、都会の人よりうなずく回数が多い。講演会をやるとはっきりと違いが出る。普段の対話でもかなり深くうなずくので、こちらは心温まる気がして話がしやすい。世代的に言うと、テレビやゲームが出る以前に育った人の方がレスポンスが大きい。身体レベルで応答することによって、心が通い合う感覚を共有できる。

しかし、うなずくという身体レベルでの沿う技を意識的に練習する場は少ない。本来は応答する柔らかい身体ができていて、うなずきが自然に生まれるのだが、冷え切った身体では自然にうなずくことができない。だから生活の中で意識的にうなずきを繰り返すことで、身体の他の部分も応答する身体へと変えていくしかない。

大学では時々うなずく練習をさせている。**自分の呼吸や相手の呼吸に合わせてうなずくと間が取りやすい。**相手の話が一区切りして相手が息をつくところでこちらもうなずくなど、呼吸をするたびに顔を下げて間を入れると、うなずく技が習慣化しやすい。

これを言語レベルで言うとあいづちに当たる。「なるほど」とか「そうですね」とか「はあ」とか「ほう」とかあいづちを入れると、ずいぶんと話しやすくなる。

あいづちはうなずくのと同じ効果がある。

相手が途中で気分を害してしまうと話が聞けなくなってしまうが、取りあえずあいづちを打っておくことで、本当は相手の話に同意していなくても相手の話を引き出して聞くことができる。これが「質問力」の前提になる作業である。

質問はクリアな言葉で行なわなければならないが、身体のレベルで沿う構えがないと、質問が素っ気なくなってしまう。

うなずくかあいづちを打つ、あるいはあいづちに近いが相手の言葉をオウム返しに繰り返す技もある。これは場を流して次の言葉を引き出すのに効果的である。あまり意識的にやるとわざとらしいが、相手の言葉を確認するように繰り返して言ってあげると、相手は話を続けやすいものだ。

ただし語尾を上げた疑問形にしてはいけない。**あくまでも語尾は上げずに繰り返す。いわばオウム返しの技だ。**相手の言葉を反復して繰り返しても、新しい意味は何も生み出さないが、対話上手な人でもけっこうこの技を使っている。

「言い換え」の技と「引っぱってくる」技

次の段階の沿う技には「言い換え」がある。相手の言った言葉を自分の言葉で言い換える技だ。意味は変わっていないが、聞き手が同じ内容を違う言葉で言い換えることで、内容がきちんと消化されていることが相手に伝わるわけだ。

「言い換え」は話の理解度を試す上で非常によい方法である。違う言葉で言い換えさせたり、自分の言葉で言い換えさせるトレーニングは効果的だ。同じ言葉を反復するのはただの丸暗記だが、**自分の言葉で言い換えることができれば、その内容が咀嚼**(そしゃく)**されて自分の物になっていると相手に示すことができる**。対話が無駄になっていないことが相手にメッセージとして伝わるので、あいづちやオウム返しよりワンランク上の沿う技といえる。

さらに高度な沿う技は「引っぱってくる」技だ。相手が少し前に言った言葉をもう一度、今の文脈に持ち出すという技である。使う人がわりと少ない高度なテクニックだが、使ってみると非常に効果がある。

私は時々やるのだが、相手の話の中にキーワードをまず見つける。そして相手の口から発せられた言葉を自分も使うと、相手は大変好感を覚えるのである。

その際、直前に言われた言葉を使うとオウム返しになってしまうが、20～30分前に言った言葉やその人が他で言った言葉を覚えておいて引用すると「いやあ、君はよくわかっているねえ」と評価される。当人が言った言葉だから「わかっている」のは当然である。しかも自分の言葉だから、相手は喜んで話を聞く。非常に効果的な技である。

この技はメモを取る習慣とセットになって鍛えられる。話を聞いているだけだと、20～30分前にあった言葉を引用しながら、もう一度現在の話に組み込んでいくのは難しい。**しかしメモを取る習慣がついていると、手で書いて、目で見て、さらに文字として残っているので、見て確認することができる。**それを見ながら発想することもできる。すると対話の織物が仕上がりやすくなる。

前に使った言葉が現在の文脈にも生きてくるので、途切れ途切れの話ではなく、言葉が有機的に絡まりあいながら、会話が一つの織物のように織りなされていく。厚みのある充実した対話が成立するのである。

引用には、相手の言った言葉ではなくまったく違う外部から「引っぱってきて」、第三の文脈を立てるという技もある。自分たちが経験している世界だけだとどうしても対話が煮詰まってきてしまうが、外部世界、つまり第三のテキストを組み込むことで、新たな展開が生まれるのだ。

相手の言ったことに沿って外から例を引っぱってくれば、それは沿うことになるし、少しずれた例を出せば、ずらす技にもなる。ずらす技については、第四章で詳しく述べるが、ともかく**自分の経験世界だけで話さず、外部のテキストを共通のテキストとして話す**のは、**会話を盛り上げるコツ**である。

2 相手に共感して深めていく「沿う技」

相手の言葉を繰り返す「オウム返しの技」

次に具体的な対話の場面を例にとって、コミュニケーションの秘訣、特に「質問力」の実際のコツについて見ていきたい。

まずは沿う技だが、これには主に相手に共感して沿っていく方法（「共感系」）と、相手の考えをまとめる方法（「まとめ系」）、さらにもう一歩進めて、相手の雑然とした考えを整理する方法（「整理系」）がある。

いずれも**相手**の言っていることをずらすのではなく、**相手に沿いながら深めていく**。**相手を話しやすくさせていくスタイル**だ。質問の前にはたいていあいづちやうなずきなど身体レベルの共感があることが多い。

まず具体例としてとりあげたいのは『なるほどの対話』（日本放送出版協会）であ

る。心理学者の河合隼雄と作家の吉本ばななの対談集だが、この中で2人は上手に同調しあっている。

河合　そうは言っても、先ほど吉本さんが言われたように、ものごとの流れ全体は、うまくできているとも言えるわけで。

吉本　本当に、うまくできていると思います。考えてやると失敗しますよね。

河合　うまくできてるね。その方が、ほんとやないかね。ぼくが「偶然屋さん」というように、偶然にうまいことといくということが、非常によく起こるんだから、やっぱりたいしたもんやと。作品だって、全部、そういうふうに説明可能な作品をつくるというのは、おかしいんちゃうかなって思う。

まず河合隼雄が「そうは言っても、先ほど吉本さんが言われたように、ものごとの流れ全体はうまくできている」と言う。つまり吉本ばななが前に言ったことを引き合いに出し、彼女の意見をそのまま持って来て、自分の文脈に引き戻している。

それを受けて吉本ばななが「本当に、うまくできていると思います」と答えてい

「オウム返しの技」

る。自分自身が言ったことだから、当然同調するに決まっている。

河合隼雄はさらに追い打ちをかけるように「うまくできてるね」と念押しする。この言葉はそれほど新しい意味を生み出してはいない。相手が繰り返し、自分が念押ししているだけである。だがこの作業を行なうことで共通の地盤が固まるという積極的な意味がある。**一見、新しい意味を生み出さないようでも、次に新しいものを生み出す基盤作りが、こうした同調にはあるわけだ。**

これは繰り返し（オウム返し）という技である。「うまくできている」という言葉を受けて、「うまくできてるね」と同じ言葉を繰り返す。

繰り返しの技はたとえていえば、ブルペンキャッチャーのようなものである。プロ野球にはピッチャーに肩ならしをさせる準備専門のキャッチャーがいる。ブルペンキャッチャーの重要な役割はピッチャーの調子を上げさせることである。

そのためにはキャッチャーミットでいい音を響かせて球を取ることが重要だ。ピッチャーは最初は調子が悪くても、ミットの音によって自分の球がどう受け取られたか確認でき、「あっ、けっこう調子が出てきたな」と自信をつけることができるのである。

会話でもいい音をさせて取る技術がある。「ああ、なるほど」と手を叩きながら繰り返す。相手と知識を共有していない時にも使える技だ。会話の潤滑油のようなものだ。

もしブルペンキャッチャーが音のしないミットを使ったら、どうなるだろう。ピッチャーは肩を壊すに違いない。球を速く投げているつもりでもまったく音がしなければ、目安がないから無理して投げてしまう。あるいはまったく投げる気をなくすかもしれない。いずれにしても悪いパターンに入っていく。

この技は知識の豊富な人と話す場合に使える。受け方さえ上手なら相手はどんどん話してくれる。するとこちらは勉強できる。学んだ内容から、「あっ、先ほど先生が言われたことはこういうことですね」というような戻し方をすると、話に厚みが出てくる。自分にまったく知識がなくても、充分対話が続くのである。

この場合、必ずしも最初から質問を出す必要はない。まずは話をうながして、相手の言葉を繰り返しながら同調する。受け取っているというメッセージを相手に送ることで、相手から新しい話がどんどん引き出せる。こうした循環を作ることができれば、そのうちにお互いに共有する情報量が増えてくるので、質問の糸口が見出せるだろう。

しかしこれは上手にやらないとうっとうしい技だ。自然な形でやるには、最初は少しぎこちないかもしれないが、「そうそう」という動作をつける気持ちで相手の言葉を繰り返すとよい。とくに**聞いたことがない専門用語や固有名詞が相手から出た時は、繰り返すことで自分のほうが慣れていく。**自分が言った言葉には慣れやすいからだ。

さらに『なるほどの対話』を見ていこう。

吉本ばななに対して河合は「うまくできてるね。その方が、ほんとやないかね」と述べているが、この時の関西弁がうまい。**方言を抜かないことで、カウンセラー臭さが抜けていくのだ。**

カウンセラーがよく使う、相手の言葉を繰り返して話を引き出すスタイルはある種の「カウンセラー臭さ」をかもし出すことが多い。相手に寄り沿ってはいるが、妙な丁寧さやどこか不自然な寄り沿い方が、方言を使うことで払拭できるのだ。方言はその人が生まれ育った風土のしみ込んだものであり、固有のものである。カウンセリング技術は欧米で発達しているものだから、標準語が似合っている。そこに方言がまざると、その人のやっていることはカウンセリングではなく、個人と向き合っている印象を強く与える。その人の人間性や身体性が出てきて、何か裸で付き合っているイメージが持てるのだ。

河合隼雄さんは長年教師とカウンセラーをしているので、放っておくと教師臭さやカウンセラー臭さが出てもおかしくはない。たとえばスポーツ解説を教師歴の長い人がすると、どうしても教師臭い解説になって聞こえる。しかし、ここにはそうした臭みは感じられない。方言はそうした〝臭さ〟を抜いていくひとつの工夫である。

『なるほどの対話』には、繰り返しながら相手の言葉を引き取って自分の文脈に組み込んでいく技の例がほかにも見られる。

吉本　どうするんですか、その場合。ちなみに、いまのケースだとどうするんですか？

河合　いちばん大事なのは、「その人が本当に言いたいことはなんなのか」を知ることなんですよ。

吉本　その人が……。

河合　そう。その人が「ほんとに、何が言いたいのか」。

吉本　なるほどね。

河合　で、その人がいちばん言いたいことは、「このぐらいのことで、ウロウロするな」ということなの。こっちが、ちょっと失敗したって思うと、ウロウロってするでしょ。それが、その人の不安をかきたてるんですよ。よけいに不安になる。その不安を解消するためには、その人はむちゃくちゃ言うより仕方ないんですよ。「相談料、返せ」とか言うわけ。ぼくには、そんな経験はあまりないけれど、カウンセラーの指導をしているとそういう話をいっぱい聞くんです。「相談料、返せ」と言われたら、またクソ真面目な人が多いでしょ、「わかった、相談料、返します」……。

吉本　それは、相手ががっかりしちゃう。

河合　そう、がっかりして、「先生、『相談料、返す』と言われるんですか」って。

たとえば河合が「いちばん大事なのは、『その人が本当に言いたいことはなんなのか』を知ることなんですよ」と言う。すると吉本が「その人が……」と繰り返す。河合がすかさず「そう。その人が『ほんとに、何が言いたいのか』」と、二人でまたしても同じ言葉をキャッチボールしているのだ。これは確認作業である。

そのあとも、河合が「わかった。相談料、返します」と言い、吉本ばななが「それは、相手ががっかりしちゃう」と引き取る。すると河合が「そう、がっかりして、『先生、相談料、返すと言われるんですか』って」と受ける。これも「相手ががっかりしちゃう」という言葉をそのまま「そう」と受けて、「がっかりして」につなげていく。

とりあえず相手の言葉を自分の言葉に組み込んで話すことで、相手と共感や同調ができるいい例だ。対話に困った時には、非常にいいやり方である。河合隼雄さんは、大変対談のうまい人で、どんな球でも受けられる。彼のいちばん基本的な技が繰り返しだ。

相手と自分の共通点を探し出す

もう少し進んだ「沿う技」として、手塚治虫と北杜夫の例を見てみたい（手塚治虫対談集・講談社）。

手塚　じゃあそれはね、北さんね、ぼくのいわゆる好みっていうか、道楽とか趣味とか北さんと何か通じたところがあったんだ、きっと。たとえばね、虫。

北　ああ、虫好きはね、そう。

手塚　虫。これはねえ、ぼくはすごいつながりがあると思う。というのはね、ぼくはね、ほかのものはデタラメに描くけど虫だけは忠実に描くの。好きなもんだから。だからぼくの描く虫っていうのはね、たいへんあれですよ、生物学的に正しい。

2人はだいたい同年輩なので、すでにある程度共感が生まれやすい関係にある。北杜夫が、「ぼくにはいい意味と悪い意味の幼児性がある。手塚マンガを読んだのは、いい意味での幼児性だ」と言うと手塚治虫が、「それはぼくの道楽や趣味と何か通じるところがあったんだ」と、自分たちの間には何かつながっているものがあるという言い方をする。

これは私が授業でよくやる「偏愛マップの交換」と似ている。「偏愛マップの交換」とは自分が好きなものを紙いっぱいに書いて互いに見せあい、会話のきっかけを作るコミュニケーションのトレーニングメニューだ。

自分自身がどういう人間かを説明するより、**互いに好きなものを見せ合うほうが相手との接点を見出しやすい**。そこから相手に「サッカー好きだっていうけど、どのチームが好きなの？」とか「この音楽が好きだったら、これはどう？」という具体的な質問が生まれる。もし好きなものが通じ合っていれば、会話は一気に盛り上がる。好きなものについて語り合っている時が、いちばん幸せな状態だからだ。

普通はマップを出し合わないので、相手が何が好きかはわからない。だが「偏愛マップ」を出さなくても、手塚治虫のように自分からその糸口を見出そうとする方法もある。「何かつながっているものがある」と相手に話をふると、相手も考える。

手塚治虫のうまさはここで「たとえばね」と具体例を出したことだ。「たとえばね、虫」と例を出すと北杜夫が「ああ、虫好きはね」と共感する。そこで手塚治虫が「虫はねえ、すごくつながりがあると思う」というふうに持っていく。お互いに違う人生を生きる者同士が、どこかに交差点、結び目、つながりを見出せれば、あとの話はかなりうまくいく。

手塚治虫は「虫」という2人の経験世界の結び目を見出した。そこからしばらくはオサムシとコガネムシの違いやモンキアゲハの話など細かい話で盛り上がる。そうなると、もともと共感していた2人の間に、改めて虫好き同士という安心感が生まれ、その後の質問も自然に出てくるようになる。

そして、「ここでつながった」という結び目がいくつか増えるとネットのような網の目になって、「なるほど。自分と相手の世界の出会い方はこうだったんだ」ということがわかってくる。

手塚治虫ぐらいになると、相手と自分がどこでつながっているか考えなくても、話ができるはずだ。それだけのネタを持っているのだが、「虫でつながっていて嬉しいね」と共感を求める可愛らしさが、その人間を温かく感じさせている。

相手と自分がいったいどこでつながっているのか強く意識しながら対話をすることが、いい質問を生み、コミュニケーション全体をいきいきとしたものにするのだ。

しかし世間には、他人と自分のつながりを探す努力を放棄している人がいる。ひどい場合には「偏愛マップ」を見せ合っても、相手のマップに絡んだ話や質問ができない。相手のマップが見えているのに、自分のマップの話だけしかできないのだ。

自分の話はいつでもできる。大切なことは相手の好きなものと自分の好きなものにたとえズレがあっても、何とかつながりを見出しながら話を折り合わせていくことだ。

相手の好きなものを上手に呼び出す質問は「沿う質問」だ。**相手の経験世界や相手の言っている文脈に沿う質問によって、相手の好きなものが引き出せれば、それだけでもかなり親密なコミュニケーションが成立する。**

手塚治虫と北杜夫のように、仲良くなれるわけである。

相手が苦労したところに共感する

今までは、相手に対する知識がない場合の沿う技について見てきた。

今度は**相手に対する知識を前提とした沿う技**について、黒柳徹子と淀川長治の対談（『徹子と淀川おじさん　人生おもしろ談義』・NTT出版）で見ていこう。

淀川　私も、どっちかいうたら映画の知識をつけるよりも、何か役に立ててくださったらと思ってこの『日曜洋画劇場』をね、十五年間ずーっとやらしてもらってるんですけど、たしかに何かのお役には立ってるのかなと思いますね。ええ。

黒柳　でも八〇〇本。その中のすべての映画が、大好きとは限らないと思うの。だけどそういうのでも全部愛情をこめて解説なさっていらっしゃるでしょう？

淀川　まあ八〇〇本ですから、「ちょっと、かったるいな」と思うものも出てきます。私はそういうとき、「でも商売柄、おしゃべりしなくちゃいけない」とは絶対思えないんです。そういう思い方するともうだめ、「休ませてください」言いたくなるの。でも映画はね、どっかに何か必ずいいところがあるんですね。このお手洗のきれいなこと、とかね。

黒柳　は、は、は、お手洗！

淀川長治が日曜洋画劇場を15年間やっていると言った時、黒柳徹子はすかさず、「でも八〇〇本。その中のすべての映画が……」と八〇〇という具体的な数字をあげている。そのことで、相手の仕事の大きさへの共感を示し、敬意を伝えているのだ。

大切なのは、相手がいちばん苦労したことをとりあえずくみ取ることである。論文の審査などでも、些末な部分ばかり批判し、著者がいちばんエネルギーをかけたところをまったくノーカウントにする人がいる。これは間違った評価の仕方だと私は思う。**その人間がいちばん力を入れている部分をしっかり認めることがコミュニケーションには必要である。**

つまりコミュニケーションは減点制ではないということだ。減点制は自分の基準に照らして、相手に欠けているところを探して行く。相手にすばらしいところがあって、そこにエネルギーがかかっていても、自分の基準に合わなければ切り捨ててしまう。弱点ばかりを拡大してみるという評価の仕方だと、お互いに共感が深まらない。

黒柳徹子の対談に戻ると、「八〇〇本」という形で共感を示したあとの質問がいい。「その中のすべての映画が、大好きとは限らないと思うの。だけどそういうのでも全部愛情をこめて解説なさっていらっしゃるでしょう？」

これはいいところを突いた質問である。八〇〇本もあれば、全部好きなはずはない。いったいどうやってあんなに熱をこめて解説できるのか、その秘密を聞き出そうとしている。これは淀川長治の魅力の根幹に迫る質問だ。彼が解説するとどの映画も楽しそうにみえる。だから見たくなる。

その答がまたおもしろい。「まあ、八〇〇本ですから、『ちょっと、かったるいな』と思うものも出てきます」とひじょうに正直である。「つまらない映画なんかないんです。全部感動します」と言ってしまえば、おもしろくも何ともない対談になってしまうが、やはり淀川長治でも「かったるい」と思うものもあるのが興味深い。

続けて「そういうとき、『でも商売柄、おしゃべりしなくちゃいけない』とは絶対思えないんです。そういう思い方するともうだめ」と言う。これもおもしろい発言だ。そのあとに、「映画はね、どっかに何か必ずいいところがあるんですね」と言う。その具体例が傑作で「このお手洗のきれいなこと、とかね」。黒柳さんが、「は、は、は、お手洗！」と爆笑するわけである。

この話の展開は両者とも大変うまい。これを型通りに答えてしまっては、おもしろくなかっただろう。本音を言ったとしても、「商売だからイヤイヤやってます」と答えたら、聞いているほうもしらけてしまう。具体例で「お手洗」をあげたところが非常におもしろいのだ。

具体的な話と抽象的な話をつなぐ

黒柳徹子は相手のよいポイントをほめて、話を次に展開していくやり方が上手だ。「淀川先生は、素晴らしい美意識をお持ちですが、そういう美も映画ではとても大切ですね」とふる。一見質問には見えないが、「そういう美が映画には大切ですね」と言われれば、当然「美」について話すことになるので、話をふったことになる。

これが「映画における美とはどういうものでしょう?」という質問だと固くなってしまう。どうしても普遍的、一般的な話になってしまい、論理的な説明になってしまうだろう。

コミュニケーションのコツはその人の**奥底**にある**経験**を**引き**ずり**出**してくるところにあるので、映画一般の美について語るのではなく、「淀川先生は、素晴らしい美意識をお持ちですが」と、彼の美意識から見て映画の美とは何かという質問にした点がすぐれている。主観的な経験あるいは主観的な価値基準と絡めて話してください、という、うながしがすばらしい。

しかも「素晴らしい美意識をお持ち」というほめ言葉が入るので、相手は気分よく話に入っていける。「すばらしい美意識についてお話しください」と言われると照れてしまうが、**個人的な話**を「そういう美も**映画**ではとても**大切ですね**」と一般**論とつないで質問**しているところがすごいのだ。

これは非常に大切なことである。対話の中でやたらと話が一般的になりすぎてしまい、茫漠とした話しかできないタイプの人がいる。一方では具体的あるいは個人的な話しかできない人もいる。本来はそれをつないで話をすることでコミュニケーションが深まる。黒柳徹子は、質問自体にその2つをつないで話してくれという暗黙のうながしをこめている。

余談になるが、私は学生時代心理療法家のロジャース博士の考案したエンカウンター・グループ（出会いのグループ）に参加したことがある。まったく知らない人同士が10人ほどで一部屋で話をするというセッションだ。

いちおうファシリテーターといううながし役が入るが、特に司会をするわけではなく、セッションがどうしようもなく煮詰まった時にうまく話を流すぐらいの役目である。

基本的には初対面の参加者がテーマもなく何となく話し合う場だと考えていい。するとと意外なことに、いきなり深い話になることが多い。友だちにも言えないような深刻な人生相談をその場でいきなり持ち出してくることが起こる。他人同士だからかえって気楽に話せるのかもしれない。

私が参加した時は参加者の中に理屈っぽい男子学生がいた。彼に対してある女子学生が「あなたの聞いていることも言っていることも全部一般論で、あなた自身が少しも出てこないじゃない」と痛烈に批判した。彼は「人間とはこういうものじゃないだろうか」という言い方しかできない。対話の最中それを直そうとするのだが、レコードの溝にはまりこんだように一般論的な話に戻ってしまうのだ。

一方、批判している女子学生のほうも自分の個人的な経験の話はできるが、他人の経験に絡んでいけない。抽象化する力が少し足りないのである。もう少し物事を抽象的にとらえられれば、自分の経験と他人の経験のつながりを発見できるのだが、そこをつなぐ操作ができない。だから純粋に自分の経験を話す時は元気がいいが、他人の経験を聞く時はつまらなそうである。

2人のやりあいは実にちぐはぐで、見ていておもしろかった。この具体と普遍の往復については第四章で詳しく述べることにする。

相手の話にポイントをたくさん見つける

共感する技についてもう1つ例をあげよう。作家の村上龍が『存在の耐えがたきサルサ』（文藝春秋）という対談集で作家の田口ランディと対談している。

村上龍はテレビの『リュウズ・バー』というトーク番組でホストをつとめていたぐらいだから、非常に受けが上手である。本人はなかなかエネルギッシュで強面(こわもて)な雰囲気だが、実は意外に合わせるのがうまい。

村上　田口さんは、今約五分ぐらいの間にすごい大事なことを二十個ぐらいいったから（笑）、どれにリアクションしていいかわからないけれども、今おっしゃったことは、案外ビルドゥングスロマン、昔のヘルマン・ヘッセみたいなものにもちょっと似ていますね。

田口　ファンなんです（笑）。

田口ランディの話がしばらく続いたあと、村上龍は「田口さんは、今約五分ぐらいの間にすごい大事なことを二十個ぐらいいったから、どれにリアクションしていいかわからない」と言う。これは大変うまいやり方だ。「五分間に大事なことを二十個言った」と言われて喜ばない人はいない。のせ上手だ。

対話においては、誰もが「自分の言っていることに意味がないのではないか」という不安に襲われている。あるいは襲われなければいけない。そんな不安はない、と言い切る人もいるが、まともな人は常に「自分が話していることに意味があるのか？」という不安と戦いながら話している。

こうした不安感に対して5分の間に大事なことが20個あったと言われると、田口ランディのほうは「そのあとは何を話しても大丈夫」と気分が楽になったに違いない。リラックスしてもっとエンジンがかかる。そういう言葉だ。

考えてみると相手に20個もポイントを見つけられるのは、見つけるほうの才能も大きい。おもしろい話をしていても聞く方が鈍かったら、ポイントが1つしか見つからないかもしれない。するとそこしか質問できないから、同じ話ばかり繰り返し、一本の線路のように話が単線的になる。

だが**見つける側**のアンテナが豊富であればあるほど、ひっかかってくるポイントは多くなる。するとそのポイントを題材に、次々と話が展開できるようになる。そのポイントを5分の間に20個ためたということは、次の話題に移った時、話題にならなかったポイントがまだ19個もあるということだ。

だから話に行き詰まったら、いつでも19個のうちの何かを持ってくればいい。村上龍はわずか5分の話の間にそのポイントを20個もためて記憶してしまったのである。

話というのはどうしても線路のように、線条的につながっていかざるを得ない。

しかしそこに話されなかった文脈や選ばれなかった質問が19個もあるとしたら、そういう人は話の振り幅が広いから、単線的な話ではなく面のような広がりを持ったコミュニケーションができる。

漫然と話を聞いていて、そういうコミュニケーションができるはずはない。**ポイントをたくさん見つけようと意識しながら聞いているからできるのである。**

ただほめるだけでなくポイントの個数を具体的に出しているのも、相手を勢いづけるコツだ。また「どれにリアクションしていいかわからない」と言いながら、「ビルドゥングス・ロマン、昔のヘルマン・ヘッセに似てますね」と相手がまだビルドゥングス・ロマンという自己形成小説について言及していないのに、それを結びつけようとする。

相手の言ったことに対して、「それは別のこれと似ていますか？」と質問するのは、質問の王道である。かなり有効な質問の仕方だ。相手の言っている言葉を繰り返しているだけでは進展がないが、別の何かを持ってくることで、相手も触発され食いついてくる。上手に似ているものを出せた場合、特に相手が考えていなかったものや秘密にしていたものを提示できれば、「この人は自分のことをわかってくれたんだ」と感動してくれる。持ってきたものがあまりに的外れだと、話がわかっていないとかセンスが悪いと思われてしまうが、上手に持ってくると話を理解したというメッセージになる。

村上龍の「似ているでしょうね」という質問は、ある種「自分はそういうふうに話を理解したんだ」という相手へのメッセージにもなっている。

田口ランディの答も素直で、「ファンなんです」と言う。要するに「当たり！」ということだ。ビルドゥングス・ロマンの話をまったくしていないのに、「ファンなんです」という言葉を引き出したわけだから、大当たりだ。ファンだと言ってもらえると「この人はやっぱりこういう世界を大切に生きてきたんだ」という充実感が質問者にも生まれる。こうした質問はひとつの賭けである。的を外す場合もあるが、当たれば大きい。

「これはこれと似てるんじゃないでしょうか」という具体物を持ってくる質問の仕方は、対話の文脈とは別のものを持ってきてつなぎ合わせようとしているから、話をまとめる「これはこういうことなんでしょうか」という質問とは少し違う。**持っ**

てきたものが相手の経験世界にあるものなら、「よくぞわかってくれました」ということになる。

3 ハイレベルな「沿う技」

相手の話の中のキーワードをみつける

作家の村上春樹と河合隼雄の対談『村上春樹、河合隼雄に会いに行く』（新潮社）にも、高度な沿う技が見てとれる。

村上　関係のなかにいろいろな側面がある？
河合　そうです。西洋の場合は、どうしてもロマンチック・ラブというのを下敷きにしていていますね。ロマンチック・ラブというのは長続きしないんです。もしロマンチック・ラブを長続きさせようと思ったら、性的関係を持ってはならないんです。性的関係を持ちながらロマンチック・ラブの考えを永続させようというのは、不可能なんだとぼくは思うんです。もし夫婦の関係を続けていこうと思ったら、違う次元に入っていかないとだめですね。

村上　ただ、その性的な関係にも一種の治癒作用はあるのですね。ところが、それはある時点から別のかたちの治癒作用に変わっていかなくちゃいけない……そこには井戸掘りが必要なのですか。

河合　そうです。若いあいだは性的な関係はすごく大事だし、治癒作用を持っているけど、それだけではもういけないですね。

村上　その時点で井戸掘りに移行できない人は、別の性的治癒に走るのですか。

夫婦について河合が「性的関係を持ちながらロマンチック・ラブの考えを永続させるのは不可能である。夫婦関係を続けようと思ったら、違う次元に入っていかないとだめだ」という話をしている。それに対して、村上春樹は「性的な関係にも一種の治癒作用があるが、ある時点から別の形の治癒作用に変わっていかなければいけない」という言い方をして、そのあと「そこには井戸掘りが必要なのですか」と聞いている。

実はこの対談の前のほうで、河合隼雄が村上春樹の『ねじまき鳥クロニクル』の日本人的な個を追求するスタイルについて「井戸へ入る」と形容している。それを村上が覚えていて、性的関係の治癒作用の話をしている時に「井戸掘り」という比喩を持ち出してきたのである。

比喩はやりすぎると言葉に酔っているように見えるからまずいが、ほどほどなら相手の言うことがわかったということを相手に伝える有効なメッセージになる。

この場合の井戸掘りは精神作用の比喩であり、このキーワードで二人は共感し合っている。さらに村上は「そこには井戸掘りが必要なのですか」「その時点で井戸掘りに移行できない人は、別の性的治癒に走るのですか」という具合に、「井戸掘り」という比喩をキーワードにして相手の言葉を咀嚼（そしゃく）し、返している。

この質問には、「あなたの言っていることを、私はこういうキーワードとして結晶化しました」というメッセージが込められている。すると相手の言おうとしていることと、自分の世界が「井戸掘り」というキーワードでつながっていく。

相手の言葉を比喩的に言い換えて、自分と相手の話を絡めるやり方である。「自分のキーワードで言えば、それはこういうことだろう」ということを織りまぜて質問する技である。

相手にご機嫌になってもらう「構え作りの技」

ここで少し強引な沿う技を紹介しよう。

『谷川俊太郎の33の質問続』（ちくま文庫）で谷川が作家の高橋源一郎に質問しているケースだ。これは沿う技というより、相手と対応している時、相手をその気にさせる「構え作りの技」とでもいうべきものだ。

相手を話す気にさせる構え作りには、技が必要だ。おいしい料亭に連れていったり、お酒を飲ませたりして相手にご機嫌になってもらわなければならない。それを言葉の上で行なうのが構え作りの技だ。たとえば相手の好きなことについて質問すると、**誰でも好きなものについて語るのは気分がいいので、上機嫌になる**。そういう技のことである。

谷川俊太郎はこの構え作りでかなりの荒技を見せている。

――もし上機嫌だったらっていう前書きがあるんだけれども、上機嫌だと思っていいですよね。

高橋　上機嫌のはずです、きっと。

——上機嫌になってください。

高橋　はい、じゃ谷川さんのために上機嫌になります。（笑い）

——ありがとうございます。質問1。

いきなり「もし上機嫌だったらという前書きがあるんですが」という話から対談が始まっている。「上機嫌だと思っていいですよね」と聞き、高橋源一郎が「上機嫌のはずです、きっと」と言うと、谷川俊太郎が追い打ちをかけるように「上機嫌になってください」と言う。高橋源一郎が「はい、谷川さんのために上機嫌になります」と答えると、「ありがとうございます。質問1」と入っていく。

普通はこういう会話はしない。「上機嫌になってください」「じゃあ、あなたのためになります」「じゃあなったから質問していきます」という対話は、普通ではあり得ない。

沿うという意味では非常に荒技だ。**相手に沿う**のではなく、**相手を自分に沿わせてしまう**。こういう**技は下手をすれば自己中心的**だと**思われてしまう**が、ここまではっきり言ってしまうと、かえってサッパリする。

身体的な言語を使って距離を縮める

もっと暴力的な身体的言語を使うのが作家の内田百閒だ。遠藤周作編の『話し上手聞き上手』(新潮社)という本に、百閒と落語の古今亭志ん生の対談がおさめられている。

「深夜の初会」というタイトルからもわかるように2人は初対面である。最初は内田百閒も「内田でございます。今晩は」ともものすごく丁寧だ。志ん生も「はじめまして」と答える。「それはどうもおつかれの所を。師匠のお名前は昔からずっとそうなんですか」と礼儀正しい対話が続く。

それが7、8ページほど進んで来ると、「志ん生師匠、あんたさん、意地の悪い顔してるね。まったく……僕が苦労した金貸しにそっくりだよ」「わたしは金借りた方なんだよ」「あんまり金借りると金貸しみたいな顔になる……」という絡み方をして、一気に距離を縮めている。初対面でこれだけ距離を縮める、この加速度がすばらしい。旧知の間柄、気心を通わせている間柄という感じがする。

さらに2人の対話は続く。志ん生が「上野の今の広小路をずっと上っていく、あそこに凱旋門ができて、東郷さんだの、大山さんだの、乃木さんが自動車でずっと……」と言うと百閒が「ウソ言いなさい」志ん生「馬車だ」百閒「人力車だろう」と、どんどん突っ込みを入れていく。

そのあと、志ん生が警察の近くに住んでいたという話をすると、百閒が「警察の向かい側というのは、不良少年ができるもとだ。(笑)師匠酔ったような顔をしていて、まだまだ酔やしない。注げえ、オイッ」とどんどん飲ませる。

そのうち百閒が「ちょっと志ん生さん、握手しよう。クソじじい。よかったね」。すると志ん生が「みんなクソじじいだ。年をとれば……(笑)」。百閒「だって僕より年下じゃないか」。志ん生「一つ違いだから同じようなもんだ」。百閒「ずっと智恵が違う。一年が大事だ」とやりあい、最後は百閒が「クソじじい、えらいごきげんになってきた」。志ん生「わたしは女の方にはちょいと人気があるんだ(笑)」。百閒「あんなこと言ってるよ」とわけがわからないごきげんな会話で終わっている。

酒を飲んでいることはもちろんあるが、最初は丁寧な言葉から始まって、昔からの付き合いのようになるところまで一気に崩れていく。その様子が12ページの短い対談の中に表れていて、非常に興味深い。

対談をテキストとして見るとおもしろい材料になる。特に初めての人同士が、対話をどう運んでいくのか意識して読んでいくと、とても参考になる。最初は丁寧に始めて、どこで取っかかりを作るのか。一つ取っかかりができたら、どう攻めていくのか。

百閒は取っかかりができるたびにいっそう図に乗って、増幅していく。そこに酒という身体的なレベルの技を使い、気持ちがほどける力を利用しながら一気に攻めて、最後は「クソじじい」で終わる。

このへんの内田百閒の豪快さ、ある種の老練さは見事である。おそらく百閒はよそよそしい対談はしたくなかったのだろう。もっと間合いを近くして、お互いに裸でやりあうような対話がしたかったのだと思う。だから強引に相手を自分の距離感や間合いに持っていった。

谷川俊太郎の「上機嫌になってください」もそうだが、自分と相手との間合いやスタイルがわかっている人はこういうことができる、という一つの例である。

「聞いてみただけ」の質問も時には必要

自分も聞きたくないし、相手も答えたくない「聞いてみただけゾーン」は、一見どうしようもない質問のように思われるが、実はこのゾーンにも機能はある。同じく遠藤周作編の『話し上手聞き上手』に作家の司馬遼太郎と劇作家の山崎正和の対談がある。

司馬が「都市というのは、あまりかっかしていても、気取り過ぎてもおかしなもので、コミュニティーの接触法が安定していなくてはいけない。『どちらへ』『ちょっとそこまで』が必要なんですね。そういうことを含め、京都は都会性のすべてを具備している」と述べている。

「どちらへ？」「ちょっとそこまで」は意味のないやりとりだ。だがこれが潤滑油として**必要**だと司馬は言う。たとえばマンションのエレベーターの中で、知らない人と2人きりになった時、かなり気まずい思いを味わう。その時たとえば「14階は景色がいいでしょう？」と聞けば、「ええ、でも風が強いですよ」と相手も答えて、気まずさがやわらぐ。

適度な距離感を保つために必要な対話だから、それほど具体的に答えなくてもい い。答えられても困るだろう。だが何も質問しないと素っ気ない。

人に話しかける時「お元気ですか？」とか「最近どんな調子ですか？」とか軽い質問で話しかけ、軽く答えて一応終わる意味のないコミュニケーションも時には必要である。"How are you?"と同じで一種の礼儀である。

私は、英会話の先生にこの質問をされて、本当に体調が悪かったので細かく説明し始めたら「"Fine, thank you, and you?"でいい」と言われた。まともに細かく答えられても聞いた方が困る、そういう種の質問だ。

聞いてみただけの質問も、すべて馬鹿げた質問とも言えない例である。

4　相手を勉強したからこそできる「沿う技」

応用可能な質問——相手の変化について聞く

相手に沿っていて、なおかつ本質を突く質問に、変化をたずねる質問がある。**相手の中に起こった変化について語ってもらう。その答は豊かになることが多い。**

「あなたはどういう人間ですか」「やりたいことは何ですか」と聞かれてもすぐには答えられないが、「今あなたがこのようなことをやっているのは、どこかに変化のポイントがあったんでしょうか。何かとの出会いで変わったんでしょうか」というような質問の仕方をすると、「そういえば」と具体的に話が出てくる。しかも聞かれたほうはその変化が自分にとって重大なことだから、話したくなるのが人情だ。

その例として、日本プロ野球選手界の頭脳と言われている古田敦也捕手と、映画監督で自分も草野球をやる周防正行の対談をあげてみよう。『古田式』（太田出版）

という本は、周防が古田から素人には窺い知れないプロの技を聞き出している対談である。

まず初めのほうにある周防の質問がうまい。

「先ほど、古田さんは野球にはコツがあるとおっしゃいましたが、古田さんの打撃が、劇的に変わった瞬間って何度かあると思うんですけど、最初は何ですか」

この質問は他に応用可能で、かなり多くのケースで使える。

周防はある時期、古田が急にホームランを打つようになり、明らかに打撃がうまくなったのを知っている。しかしそれを知らなかったとしても、この質問は可能である。プロでこれほどの名選手になる人は、ある時、劇的な変化や成長を経験しているに違いない。

だから「何度か劇的に変わった瞬間があると思うが、そのきっかけは何か」という質問は、相手をまったく知らなくてもすることができる。特にひとかどの人物から相手の上達の秘訣を聞き出したい場合には、応用のきく質問だ。

変化について**語るのは**、**非常に**やりやすい。**相手に変化前と変化後を比較させて話させれば**いいからだ。周防は古田に技術の習得前と習得後を、比較してしゃべってくれと言っているわけである。

何かと何かはどう違うのか比較させる質問を投げかけると、たいていの人はよく話す。授業でも比較させるとだいたい成功するので、私もよく活用する。

たとえば、食事風景の写真を一枚見せて「皆さん、これは何の写真でしょう。どこがおもしろいのでしょう」と質問してもそれほど盛り上がらない。だがもう一枚、別の民族の食事写真を横に置いて、「この二枚を比較して、どう違うのかそのポイントをあげてください」と言うと、とたんに意見が活性化する。**1つだけだと何も触発されないものが、2つ並べて比較するといろいろなものが見えてくるのだ。**

周防の質問に対して、古田は頭がいいので漠然とは答えない。いつ、何がきっかけになったのかを誠実に答えている。

古田―大学のときに、ある先輩がロッテのキャンプを見に行ったら、中西太さんが打撃指導していた。そのときに中西さんが「ボールの外を打て」って。もちろんイメージなんでしょうけど、そういう感覚はまったくなかった。僕らは「ボールの内側を打ちなさい」ってずっと教わってきましたから。

周防―それは、ボールの手前、自分に近いほうではなくて、遠い半球側を打てということ？

古田―現実には絶対、打てないんですよ。でも、今までは、ボールの内側の半分しか見ていなかった。文章にすると難しいですけど、ボールの内側に向かって、バットを内側から出すというのが、いわゆる「インサイドアウトに振れ」で、基本というか、当たり前の打ち方だった。それを「外側を打て」といわれて。もちろん現実には不可能です。（中略）

そのコツを身につけたときに、飛距離が変わりました。たとえばボールがアウトサイドにくる。で、今までは、セカンドの頭を狙って、内側を打っていた。うまく打つとセカンドを越えてライト前のヒットになるんですが、スライスのスピンがかかって、力のないライトフライとか、ファールも多かった。それが、外側を打つイメージで、引き付けてバチッと打つようになってから、ライトにもホームランを打てるようになったんです。ガンと打てば、ピュッとライトオーバー。

古田は大学時代に中西太の指導をヒントに「ボールの外側を打つ」イメージで練

習し、格段に飛距離が伸びたことを熱っぽく語っている。しかし最近中西に会ったら「俺はそんなことを言った覚えはない」と言われたと言う。このエピソードはとてもおもしろい。

大事なのは劇的に変わった瞬間については、人は熱く語るということだ。変わった瞬間は人生のクライマックスだから、相手のエネルギーがかかっている。そこを突くのは非常に相手をそそる質問である。

プロの人にわざわざ時間をとってもらっている場合は、私生活など些末なことを聞くのは失礼だ。その人の本当にすごいところに踏み込んで質問するのが礼儀である。

周防の場合は「劇的に変わった瞬間」について聞いたが、コツについて聞くのもいい。「どんなコツがあるんですか」「そのコツをどうやって見つけたんですか」という質問は、総じて喜ばれる。もちろん秘密をさらしたくない人は別だが。

しかも**具体的なコツについて語ると話が散りにくく、対話が生産的になりやすい。**ただ「ファンです」という形で聞くのではなく、その人が苦労を重ねてきた、思いがこめられているところを「コツ」という形で質問すれば、口から言葉がほとばしる。ホースから水が出るように、話にも水圧がかかるのである。

私は『声に出して読みたい日本語』（草思社）について、「売れると思いましたか」という質問ばかり受けた。最初は水圧が高かったがだんだん低くなり、それではいけないと自分を奮い立たせて水圧を上げてはいるが、それは私が頑張って水圧を上げているだけで、相手の質問によって上がっているわけではない。

しかし、私がいちばん苦労したポイントを的確に突いた質問なら別だ。急に私の内部の水圧が高まって、口というホースから勢いよく言葉が飛び出して来る。

技術というのは非常に具体的なポイントであり、その人の専門性を尊重することにもなる。しかし、世間には非本質的な質問をする癖のある人が多い。

ノーベル化学賞をとった田中耕一さんへの質問がそうである。田中さんがノーベル賞をとったのは、彼の化学者としての技術力によってだが、テレビや雑誌では田中さんのプライベートな生活や人間性ばかりがクローズアップされている。田中さん自身も戸惑っているのではないだろうか。

あれほどの人にはもっと本質的な質問をすべきだ。それも一般的にその業界のことを質問するのではなく、**発見をしたときの閃**(ひらめ)**きや工夫したポイントについて質問**

していれば、彼の頭脳ならクリアに説明してくれるだろう。ツボを押さえた質問をしてくれる人がもっとたくさんいれば、田中さんがなぜノーベル賞をとったのかについて、もう少し世の中の認識が深まったのではないだろうか。

「去年言っていたあの話はどうですか？」

古田捕手に対する周防監督の質問をさらに見ていこう。

「去年、日米野球で古田さんに会ったときに、『自分のキャッチャーミットはデカイ』っておっしゃっていましたが、それも技術革新の一つですか？」

これはすぐれた質問の仕方である。まず去年した話を覚えている。去年の話をもう1回持ち出すことで、「自分はあなたのことをたいへん尊重している。あなたの言葉を聞き逃さないぐらい大切に受け取っている」というメッセージが相手に伝わっている。相手はもちろんやる気を出す。「自分のキャッチャーミットはデカイ」と言った古田の言葉を「ああ、そうなんですか」と聞き流すこともできたが、周防は1年間ためておいた。そして今初めて出したわけである。

しかもこの質問の少し前に、古田は「プロは、要するに、うまくなって結果を残せればいい。そのためには技術革新が必要です」と述べている。その「技術革新が必要です」という言葉を引き受けて、即座に去年聞いた話と結び付けた点がすごい。漠然と「去年言っていたミットの話はどうなんでしたっけね」という切り出し方をしない。

たぶん周防は、古田のキャッチャーミットが大きい理由について、前から聞こうと思っていたに違いない。その話題をいきなり持ってこないで、「技術革新が必要だ」と古田が言った瞬間に持ってきた。頭のいい人である。

2人の現在の文脈は技術革新の話だ。それに沿っている。しかも古田の今までの過去の経験の蓄積という文脈にも沿っている。苦労してキャッチャーミットをいろいろ試して、大きい物に変えていったプロセスがある。そこにも触れている。しかも自分たちが出会った去年の出会いの場面の文脈も組み込んでいる。

つまり**3つの違う時間がこの1つの質問によって結びついている。次の答が非常に深まる質問である。**

なぜなら古田は今、技術革新の話をしたくてしようがない。のっている。しかも周防がいい具体例を出してくれた。その具体例は自分がものすごく苦労して、時間をかけたことだった。だから、古田は滔々と語る。

古田―社会人のときです。いったい、どれぐらいの大きさのミットまで操作できるのかなと、当時、びっくりするぐらい大きなのを作ってみたんです。

周防―それは注文して？　創意工夫の人ですね。

古田―はい。そうしたら意外と操作できるんですよ。捕るのは問題ない。逆に広い範囲がカバーできる。たとえばワンバウンドが来ると、普通は体で止めようとするじゃないですか。それが、大きいミットだと「捕っちゃえ」ってパッと捕れる、ファーストミットと同じ要領で。問題は、投げるときなんです。自分の掌に当たっていない部分で捕ったボールが、ミットのどこにあるのか、わからない。スイートスポットみたいなところがあって、本来はそこで捕りたいんですけど、ミットが大きいと、いつもそこに入るわけじゃないですから。

いちばん困るのは、盗塁阻止なんですよ。ランナーがバッと走ったら、わずか僕に与えられた0・何秒かの間にボールを向こうに投げなきゃならない。一回握

大きいミットをいろいろ試してみた

り直したら、もう無理です。それが大きいミットでできるのか。ボールを探す時間なんてもちろん取れないですから。で、走ったときだけ、掌のところで捕ればいいじゃんと思ったんですよ。それが解決できれば、ミットは大きいほうがメリットが多い。今では、ヤクルトの選手はみんな大きくなりました。

古田は普通の常識を打ち破ったわけである。キャッチャーミットはどれくらいの大きさまで扱えるのか古田は実験した。

キャッチャーミットは大きいと変化球やワンバウンドも取りやすくて便利だが、盗塁がある時はもたつく。ミットのどこにボールがあるのか探しているうちに盗塁されてしまうからだ。盗塁を刺すのは0コンマ何秒の勝負である。

そこで古田は考えた。「走ったときだけ、掌のところで捕ればいいじゃんと思ったんですよ。それが解決できれば、ミットは大きいほうがメリットが多い。今では、ヤクルトの選手はみんな大きくなりました」と言う。これに対して周防は「かなり自分の頭で考えて実験するほうなんですね」と言っている。

まさに古田が工夫したポイントを引き出すことに成功しているのだ。

古田は非常に頭がいいので、大きいミットのデメリットをどう克服するかまでしゃべってくれたが、もしこれが漠然とした質問なら「古田さんのキャッチャーミットは大きいですね」「ああ、でかいんですよ」で終わったかもしれない。「技術革新はどうですか」「いや、いろいろ試してよかったですよ」で終わってしまっただろう。「いろいろやってみたんですけどね。やっぱり大きいのでもやれたんで、大きいほうが便利なんで、そうしたら皆が真似しましたね」で終わる会話だってあり得る。

古田は親切にしゃべっているが、そこまで話が出なかった時は、どういう質問をすべきだろうか。私ならこう言う。

「でもそれまで誰も大きいキャッチャーミットを使わなかったということは、大きいミットには、それなりのデメリットもあるんじゃないですか。そのデメリットをどう克服したんですか」

要するに弱点があるのではないか、その克服法は？ という聞き方だ。

単に「デメリットは何ですか」という質問なら「大きいとですね、盗塁のときに困るんです。ボールを探しちゃったら時間がないので盗塁されちゃうんですよ」と答えて、そこで話が終わってしまうかもしれない。

「そのデメリットを克服する工夫をされたんですか」と聞くことで、「メリットのほうはこれこれこうで、デメリットはこうだから、それを工夫してこうしました」という答が返ってくる。そこまでしゃべらせると「古田って頭使って野球をやってるんだな」ということがわかってくる。

『古田式』という本のねらいは、「野球は頭のいい人間が上達する」ということを世に知らしめる点にあったのだろう。野球選手は頭がよくないと思われがちな時に、本当にうまい人は、創意工夫を凝らしているのだというメッセージを世に送りたい。

それほど野球は頭を使うおもしろいゲームである、というメッセージを伝えたいのだ。

本の目的ははっきりしているから、そのゴールに向かって順を追って質問していけば、確実に目的地に行き着ける。古田ほど懇切丁寧にしゃべってくれる人ばかりとは限らないが、このように**質問を1つ1つ詰めていくことによって、相手の本当に工夫したポイントが聞けるのである。**

これは周防監督が古田敦也の経験に寄り沿っている本だ。『古田式』つまり古田のやり方の本である。だから相手のことについて勉強しておくのが質問者の基本だ。周防監督も古田についてよく勉強している。

ところがこれなしでいきなり相手にインタビューしてしまうのが、プロのインタビュアーにも時々見られる。野球選手に向かって野球のルールを聞いてしまったり、基本情報を明らかに知らない人がするような質問をする。私でも代わりに答えられる質問をプロの選手にしているのは、見ていて苦痛である。その人にしか聞けないことを聞くのが礼儀だろう。

そのためには事前に勉強することが大切である。日本のスポーツ番組は、私のようなスポーツ好きからみると、役に立たない質問が多い。最近スポーツ・ジャーナリストが増えて来て、スポーツ番組は進歩したが、それまではひどいものだった。**「質問力」のなさを決定付けるのは勉強不足である。相手に関する情報がなければいい質問はできない。**

たとえば私は最近、美輪明宏さんと対談したが、その時、美輪さんの本を読んでいった。すると「紫のお化けが出ると言われていたという話だけれど、紫という色は当時どうだったんですか?」といった具体的な質問がしやすい。「当時は誰も着ていない色だったから自分が染め上げて作ったんです」という話に展開する。相手のことを勉強すると質問の幅が広がる。

『古田式』は、事前の勉強がよく効いている対話録だ。沿いながら本質をついていく質問を学ぶのにいいテキストだ。

5「本質的かつ専門的」な質問

相手の専門性を尊重した質問

相手が専門家の場合は特にそうだが、できるだけ相手の専門性を尊重してあらかじめ知識をつけておき、それに基づいて質問するのが望ましい。その例をあげたい。仏文学者で映画批評家の蓮實重彥の『光をめぐって　映画インタヴュー集』（筑摩書房）は、蓮實が海外のすぐれた映画監督に連続インタビューしたものをまとめたものである。この本全体に言えることだが、質問が非常にハイレベルである。返ってくる答も恐ろしくクリアで専門的だ。映画監督の仕事はここまですごいのかと素直に感動できる本だ。

蓮實のように映画に詳しく、監督のことを勉強していて、知性がなければ、このような質問はできないだろう。誰でも聞けるようなことはほとんど聞いていない。

これがもしインタビュアーが悪かったら、ほとんど何も聞き出せなかっただろう。偏屈な映画監督なら、まったくしゃべってくれなかったに違いない。

蓮實は質問者としてもプロフェッショナルだから、相手の監督が答えるレベルも変わってくる。読者にとっては、映画監督の創作上の重要な秘密や製作のコツに触れることができるたいへん有意義なインタビューである。

そのひとつ、ギリシアのテオ・アンゲロプロス監督へのインタビューを取り上げよう。

どの質問もすごいが、たとえばアンゲロプロスが今の時代について、悲観的な見解を述べたあとの蓮實の質問には目を見張る。

「しかし、あなたの悲観的な視点にもかかわらず、あなたの映画を見ている限り、あなたはそうした見解には同意していない」

あなたは同意していない、と言い切ってしまっている。すごい質問だ。普通の人がこんなことを言えるだろうか。

その少し前に、監督は孤立感や孤独感について話している。「かつて、映画は、救済であり、問題の解消であり、闘争でもありえた。それがいまでは、海中に浮かぶビンのような絶望的なものとなってしまった」と語ると、蓮實は「しかし、映画作家が真の作品を創造しうるのは、まさにそうした希望のない時代においてではないでしょうか」と話をふっている。

答えるほうとしても燃えるだろう。自分で「絶望的なもの」と言っているが、「絶望的な時代にこそ、真の映画作家は創造しうる」と言われると、「うーん」とうなってしまう。しかもその先に「あなたはそうした見解に同意していないはずだ」と決め込んだ質問が来る。「いったい、どうなんだ？」という問いである。アンゲロプロスの答は「もちろん同意しません」であった。

何という緊張感のある対話だろう。相手の映画を非常に深いところで見ているからこそできる質問である。そうでなければ恐くて言えるようなものではない。「あなたは同意していないはずだ」と、「あなた」の考えていることまでも断定できる質問力のレベルは高い。

その次の質問もおもしろい。

「さきほど、題材の変化が集団的なものから個人的なものへの移行だといいましたが、それはキャメラの動きにも出ていますね。ギリシャ現代史三部作では円運動的な長廻しによるワンシーン・ワンショットが多用されていましたが、『霧の中の風景』で完結する個人生活三部作では……（略）……ついにクローズアップまで登場する！」

専門的な質問である。

要するに文脈は「集団的なものから個人的なものへ題材が変化した時、それがキャメラの動きに出ているのではないか」という意味である。主題や題材とキャメラの動きは必ずしも連動する必要はないが、それが連動しているのではないかという質問の角度は、映画監督なら当然食いつくポイントである。

もちろん蓮實は連動しているという確信をもって質問しているのだ。「だってカメラの動きが変化したじゃないか。最初の三部作ではワンシーン、ワンショットでずっと長回しをしていたが、あとの三部作ではカットが多くなる。その上、前には考えられなかったクローズアップまで登場しているではないか」こう具体例を出して食い込んでいっている。

相手の監督もこのような細部まで見てもらっていると、答え方が半端ではない。すごく具体的な「あの場面はこうだった。これが大変だった」という話がどんどん出てくる。映画好きにはたまらない話だ。

たとえば、広場で倒れて死んでいく馬を見て泣く少年のクローズアップについて、アンゲロプロスが語るところがある。「手前にたおれている馬が、その間雪の凍りつく地面に横たわっていなければならず、寒さで本当に死んでしまいかねない（笑）。だから、実際上の問題としてショットを三つにわけ、徐々に少年に寄って行くという方法をとらざるをえなかったのです」という裏話を打ち明ける。

その時、蓮實は「あの広場の雪は現実の雪なのですか」という質問をする。この質問は素朴にみえるが、考えてみるとまったく素朴ではない。**普通の人は、あれだけの雪を見ると本物の雪としか思わない。だが映画に詳しければ、本物を使わないこともあると知っているのだ。**

たとえば、黒澤明が『羅生門』で土砂降りの場面を撮影した際、モノクロームの画面では普通の水をたくさん撒いても土砂降りに見えないので、黒澤は墨汁を水の中に混ぜたそうだ。雨を黒くして降らせたら、土砂降りになったという話が『異説・黒澤明』（文春文庫）にのっていた。蓮實が「現実の雪なんですか」という質問をしたのも、そうした基礎知識があったせいだろう。そのやりとりは次のようである。

――あの広場の雪は現実の雪なのですか。

アンゲロプロス　本物の雪であることは確かなんですが、撮影当日に降ったものではありません。あの地方には雪がなかったので、雪のある山岳地帯から六十台のトラックを使って運ばせたものです（笑）。

――六十台もの！

アンゲロプロス　それを三十人の人間を使って広場に敷きつめたのです。

――予算の大半が六十台のトラックに消えてゆく（笑）。

アンゲロプロス　私の映画はいつでもそんなふうにして撮られているのです。たとえば、きのう、ヤングシネマの方の審査員として来日しているジョージ・ミラーに話したことですが、私は、天候が気に入らなければ、一カ月だってキャメラをまわしません。『シテール島への船出』のときなど、ロケ地で一カ月間曇りの日がなかった。私はどうしても曇天が必要でしたから、その間天候が悪化するのを待つんだといったのですが、あのオーストラリアの監督、本気にしていなかったようです。でも、本物の雪が必要なら、トラック何十台であろうと運ばせなければ気がすまない。ジョージ・ミラーは、自分があなたのプロデューサーでなかった幸福を嚙みしめるといっていましたがね（笑）。

本物の雪であることは確かだが、雪のある山岳地帯から60台のトラックを使って運ばせたというから、すごいものである。蓮實も思わず「六十台もの！」とびっくりしている。聞いた当人が驚いているのだから、これは大当たりの質問だった。**蓮實の予想を上回る、監督の裏での仕込みや苦労話を引き出せた。その質問がなければ、アンゲロプロスはこれだけの事実を言わなかったに違いない。**「天候が気に入らなければ、一カ月だってキャメラをまわしません」という話もすごい。アンゲロプロスは曇天を一カ月待ったという。これは作品を見ていただけではわからないだろう。「曇っている」ということさえ気がつかない観客だっているのだから。

「私の映画はいつでもそんなふうにして撮られているのです」と言われると、読者である私にも「この美しい映像を撮るためにここまで苦労があったのか。これが文化なんだ。テレビドラマとは違うんだ」ということがはっきりとわかる。

私はアンゲロプロスの『霧の中の風景』を見て感動しているので、よけい心に残っている。プロの凄味を引き出してくれたすばらしいインタビューだ。専門的、かつ知的であるが故にできた質問だろう。

素朴だが、本質を突いた質問

ここでもう1つ座標軸を紹介しよう。

専門・素朴を縦軸にとり、本質・非本質を横軸にとった図⑤を見てほしい。まず蓮實のアンゲロプロスへの質問は、専門性の高いインタビューになっている。なおかつ本質的な点に食い込む具体的な質問である。

専門的だが、作品の質にあまり関わらない非本質的な質問(左上のゾーン)もある。要するに楽屋落ち、裏話、業界ネタはたしかに専門的だが、作品の本質にはあまり関係ない非本質的な質問である。

素朴で本質的な質問(右下のゾーン)も時々ある。とくに**子供が発した質問の中には大人でも踏み込めないようなおそろしく本質を突いてしまった質問もある。**

図⑤

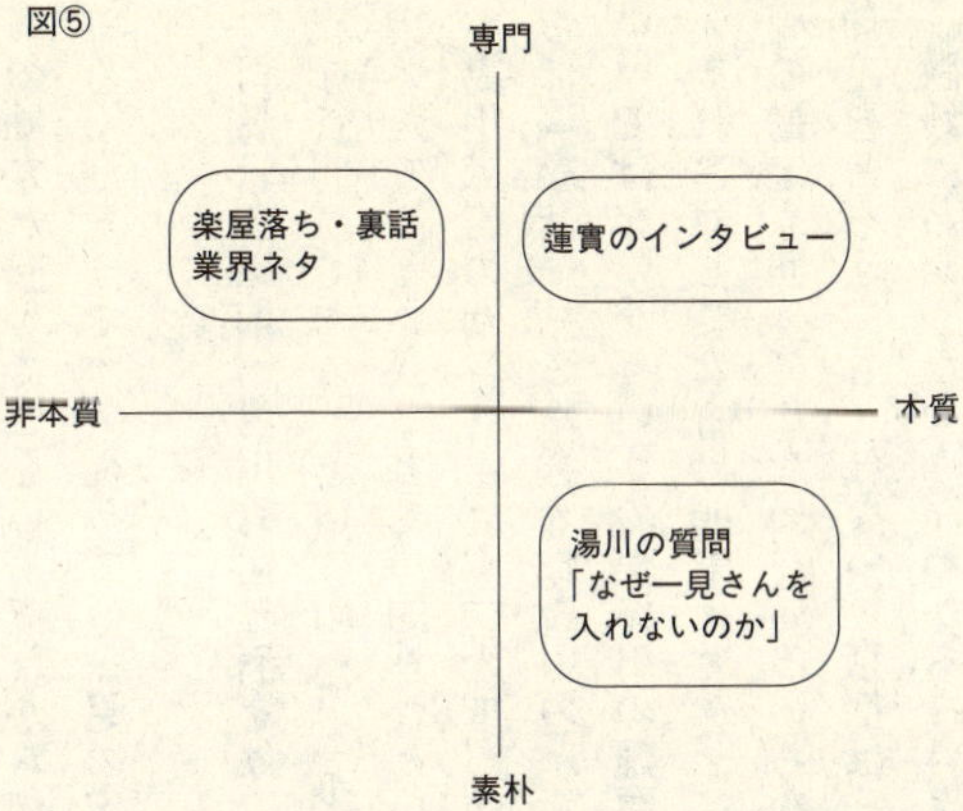

「王様は裸だ」というのは、質問ではないが、素朴かつ本質を突いた発言だ。

その例として、『話し上手聞き上手』の中で作家の司馬遼太郎が述べている湯川秀樹博士のエピソードを紹介してみよう。

司馬　以前、湯川秀樹さんと高台寺そばの有名なお店で仕出しを肴に酒を飲んだことがあります。湯川さんは誰に対しても少年のような質問ができる人ですね。店の女将さんに、「京都の勘定はなぜ遅れるのか」と。三か月ぐらいしないと回ってきませんからね。さらに「なぜ一見さんを入れないのか」と。現金で払えば一見でもいいじゃないかというわけです。

その時の女将さん、明晰でした。仕出し屋さんの勘定が回ってこない、炭屋さんの勘定が回ってこない、それから何々の勘定が回ってこない、だから結局そうなるんだそうです。従って、一見の客から勘定を取ろうにも取れない。

司馬は「以前、湯川秀樹と酒を飲んだことがあるが、彼は誰に対しても少年のような質問ができる」というのだ。「少年のような質問」というのは素朴だが本質を突いた質問ということで、的外れという意味ではない。

湯川は店の女将さんに、「京都の勘定はなぜ遅れるのか」という質問をした。さらに「なぜ一見さんを入れないのか」と重ねて聞いている。現金で払えば一見でもいいではないかというのが湯川の疑問である。

それに対して女将は明晰に答えている。「仕出し屋の勘定が回ってこないし、炭屋の勘定も回ってこない。いろいろな勘定が全部遅れてくるから、一見の客からは勘定をとろうにもとれない、京都はそういう経済の仕組みだ」と言う。

微妙にわかったようなわからないような話だが、要するに全部が遅れてくるのでどうしても後払いになってしまい、信用がある人のつけ払いのほうが有効にシステムとして機能しているという話である。

京都に行った人は「なぜ一見さんを入れない慣習があるのか」という質問をふっと思いつくこともあるが、いい大人はなかなか口に出せない。それを湯川は素朴に聞いてしまう。それがある種、京都の経済の仕組みについての本質的な質問になっているという意味では、湯川のこの質問は素朴かつ本質的なゾーンに入る。「子供ゾーン」とは少し違う「少年のような質問ゾーン」である。

しかし「質問力」を高める基本は、**相手に対して事前に勉強をすませておいて、相手の専門性に自分を加速させて寄り沿った上で質問する**ということである。

日本では素朴な質問が喜ばれる傾向にあるが、それは間違いである。基本的にきちんと知識があった上でする的確な質問のほうがすぐれている。

第四章

コミュニケーションの秘訣——②ずらす技

1 相手に沿いつつずらす技

相手の言葉を整理する

ずらす技にはいろいろあるが、まずは相手に沿いつつずらすやり方から見ていこう。

『徳川夢声の問答有用』(朝日文庫)は声優の徳川夢声が歴代の総理大臣、吉田茂や鳩山一郎、池田勇人、佐藤栄作、田中角栄から正力松太郎や小林一三まで、その道のプロや政治家、文化人などに会う、とてもおもしろい対談だ。

この中で「芸術は爆発だ」の岡本太郎との対談がとくに参考になるので例にあげよう。

岡本太郎は非常に直観的な物の言い方をする人である。「まずい絵こそいい」とか「まずい絵を描け」と言う。彼のことをよく知っていれば、「うまく描かなきゃ

図⑥

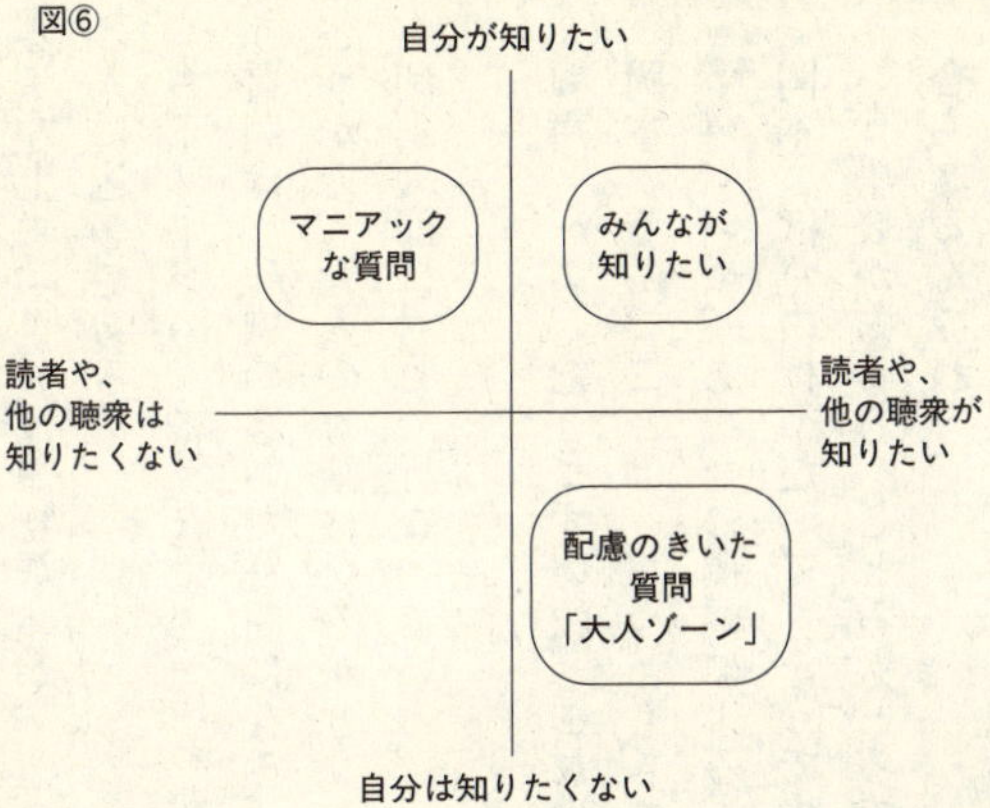

いけないという社会的な常識にとらわれていると、おもしろいものはできないんだよ」というメッセージだとわかるが、しかし一般の人は「まずい絵を描け」と言われると、「それじゃ何でもいいんだ」というふうに受け取ってしまうのではないか、というのが夢声の疑問である。

実は夢声は岡本が言わんとすることは充分わかっているが、対談を読んでいる人が誤解をするのではないかということを憂慮している。

ここでもう一つ別の座標軸を作ってみたい（図⑥）。

縦軸は自分が知りたいこと、横軸には読者や他の聴衆が知りたいことを置く。講演会では右上のゾーン、自分が知りたくて他の人も知りたいというのがよい質問である。左上の「自分は知りたいが、他の人は知りたくない」マニアックな質問は周りの人に迷惑である。

右下ゾーンの、「自分はすでにわかっているが、他の人も知りたいだろう」という質問は、配慮のきいた質問になる。この「**大人ゾーン**」の**質問をうまくできるかどうかで、大人の対談になるかどうかが決まる**。徳川夢声は「大人ゾーン」の質問を岡本太郎に対して行なっている。

夢声　うまい絵とまずい絵、これはうまい絵のほうがいいにきまってるわけだね。

岡本　そんなことは、ちっともきまってないんだ。(笑)

夢声　いや、あなたの標準による、うまい絵とまずい絵という意味だよ。

岡本　ぼくの標準だって、そうです。たとえば、器用にかかれた絵をうまいっていう場合があるし、しどろもどろでも、グンと迫るようなものをうまいという場合もあるんでね。

夢声　それじゃあ、うまいまずいというのをよして、いい絵、わるい絵といおう。

こりゃあ、いい絵のほうがいいでしょう。
岡本　もちろん。
夢声　まずい絵のほうがいいといっても、まずい絵のなかに、わるい絵もあるわけだな。
岡本　そりゃありますよ。当然ですよ。
夢声　そうすると、まずいほうがいいというのは、一般のひとたちが、はずかしがらないで、どんどん絵をかくようになればいいというあなたの希望を、そういうことばでもって、端的にあらわしてるわけ？
岡本　とにかく、まずい絵こそいいっていえば、みんなかきだすでしょう。まず、みんなにかかせることが、第一なんだ。

岡本は「まずい絵を描けというのは、うまく描かなきゃいけないと思っている人がたくさんいて、大人になるとだんだん描きたい絵を描けなくなってしまうから、そういう人たちに対して、自由で、簡単で、子供の時のようにのびのびと描けるように言っているんだ」と言っている。

図⑦

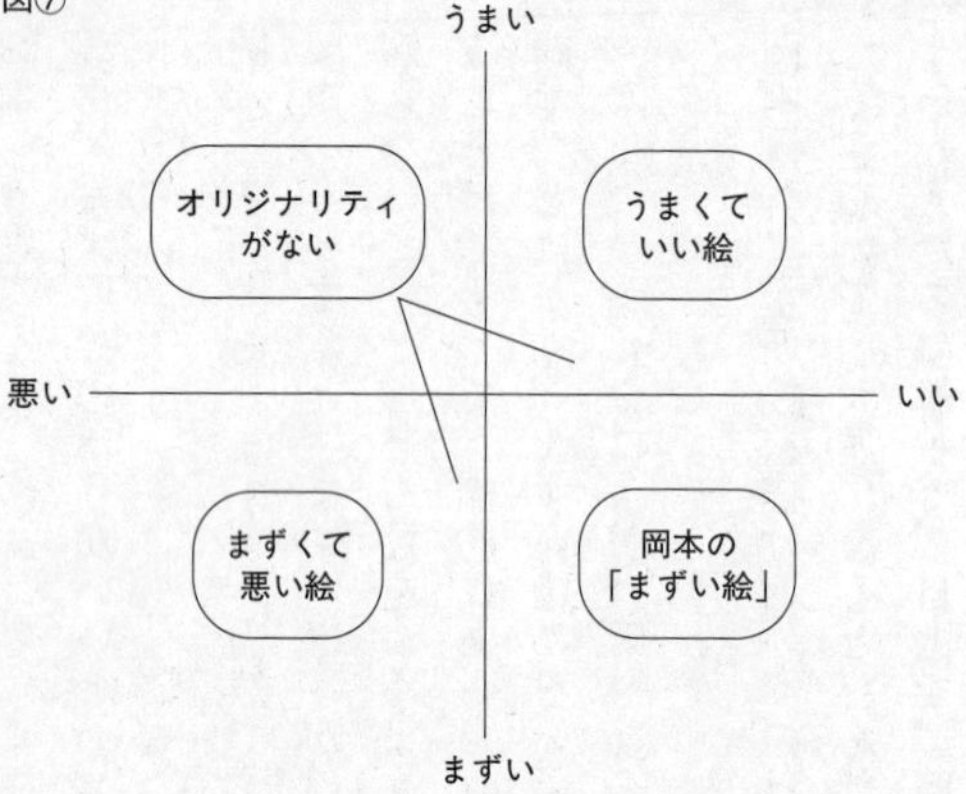

夢声はさらに「うまい」「まずい」という言い方を整理していく。「うまい絵とまずい絵では、うまい絵のほうがいいにきまっているわけだね」と言うと岡本は「そんなことは、ちっともきまってない」と言う。

夢声は角度を変えて「あなたの標準による、うまい絵とまずい絵だよ」と言うと、岡本は「ぼくの標準だって、そうです」と答える。そこで夢声は「それじゃあ、うまいまずいというのをよして、いい絵、わるい絵といおう。こりゃあ、いい絵のほうがいいでしょう」とずらして行く。

岡本が「もちろん」と答えると、夢声は畳みかけるように「まずい絵のほうがいいといっても、まずい絵のなかに、わるい絵もあるわけだな」と**整理していく**。岡本は「そりゃありますよ。当然ですよ」と同意する。

これはどういうことか座標軸（図⑦）を書いて整理してみよう。

まず縦軸に「うまい」「まずい」があって、横軸に「いい」「悪い」がある。「まずい絵を描いてみよう」という意味は「うまい絵が悪い」と言っているのではない。うまくていい絵、つまり右上ゾーンのものもある。本当にまずい下手な絵で、悪い絵もある。つまり左下ゾーンだ。まずいが、いい絵もある。それは右下ゾーンである。岡本太郎の「まずい絵」はこの右下ゾーンに当たるわけだ。

夢声は「もう少し整理してみよう」と言いながら、その構造を整理していった。最初、太郎は「まずくてもなんでもいいんだ」と言っていたが、夢声とのやりとりを通して「いい絵、悪い絵があるんだね」「もちろん」「いい絵がいいんだね」「もちろん」とだんだん整理されていく。

夢声は相手の言っていることが世間に誤解をされないよう丁寧に整理しているのである。**質問を通して相手の真意を確認しながらやっていくので、相手に沿いながらずらすやり方**だといえる。

そして「うまい絵」「まずい絵」ではなく「いい絵」「悪い絵」にずらしていって、「うまいけど悪い絵」つまり左上ゾーンより、「まずいけどいい絵」つまり右下ゾーンのほうがすぐれているという不等号に持っていった。岡本太郎が言いたかったのはまさにこの不等号である。

夢声が整理したことによって、岡本太郎の言いたいことがより鮮明に読者に伝わっている。そうでなければ、岡本太郎はただの変なことを言う人で終わってしまったかもしれない。まずい絵のほうがいいのなら、どんな絵でもいいのか、という真意とは関係のない誤解を招くことになっただろう。整理すればその分岡本の毒を減らすことにもなるが、そのあたりの判断は総合的にやればいい。

夢声は自分がどうこうしたいのではなく、読者のために聞いたわけだ。相手の中でごちゃごちゃしている部分を、質問によって整理し、相手の枠組みを少しずらしてわかりやすい形に直すのが、整理するという技である。

「具体的に言うとどういうことなんですか」

話に沿って展開していく場合、比較的よく使える技には**「具体的に言うとどうい**

うことなんですか」という質問がある。これはあらゆる場面で使える。
「もっとわかりやすく言い換えるとどうなんでしょうか」とか「具体例をあげてください」という質問は、話がふくらみやすい。対話は話していくうちに、小さくまとまっていきがちだが、その時具体例を出すことによって、いろいろな話がわき出てくることがある。

まさに具体例をあげると、動物行動学の日高敏隆と竹内久美子の対談（『もっとウソを！　男と女と科学の悦楽』・文藝春秋）がある。

日高　科学というのは、物事の理解だから、それがそのまま生活や仕事の面で役に立つかどうかはわからない。技術に応用されたときに、役に立つこともあれば悪用されることもあるわけだよ。
日本では「科学技術」という言葉があるでしょう。科学技術庁というのもある。だけど英語だったらサイエンス・アンド・テクノロジーと、二つのものをアンドで繋（つな）いである。日本では一つの言葉になってるというのは、非常に大きな問題なんじゃないかな。

竹内　二つのものが、ごっちゃになってるんでしょうか。

日高　そうだと思う。技術、つまりテクノロジーはテクニックじゃなくて、やっぱり学問なんだけど、目的は「作る」ことだ。科学の目的は「知る」ことなんだ。そこはやっぱり違うんだよ。

竹内　むずかしいですね。具体的に言うとどうなるんでしょうか。

まず「科学技術」という言葉を取り上げた文脈が前にあって、日高が「サイエンス・アンド・テクノロジーと、二つのものをアンドでつないであるのが英語だが、日本では本来別々のものを科学技術という一つの言葉にしてしまったのが問題だ」と言っている。そして「技術、つまりテクノロジーはテクニックではなく学問だが、目的は作ること。でも科学の目的は知ることだから、そこが違う」と言っている。

それに対して竹内は「むずかしいですね」と受けている。たぶん**当人は専門家**だから**十分**わかっているが、**読者**のためにあえて**「むずかしいですね」**と言い、さらに**「具体的に言うとどうなるんでしょうか」**と**聞いて**いる。すると日高は、鳥を真似して空を飛ぶ話をいろいろしていく。

日高　このあいだ大学のオープン・キャンパスで「鳥から飛行機へ？」という話をしたんだ。人間も鳥のように空を飛びたいと思って、ダ・ヴィンチ以来いろんな設計図を描いているよね。でもそれらは、鳥が羽ばたいて飛んでるからそれを真似てみんな羽ばたき式のものだった。
竹内　崖から落ちる映像の記録がいっぱいありますよね。
日高　みんな落っこっちゃって飛べなかった。そのうちに鳥の翼が独特な格好をしていることに着目した人が、同じような形を作って空中で動かしてみたら、浮いちゃうんだよね。つまり、翼の上側は陰圧になって吸い上げられる力が働くし、下からは押し上げる力が働くから、あれは浮くんだということがわかった。それじゃと自動車のエンジンを付けて翼を動かすと、ふわりと浮いて進むわけだ。それで飛行機ができちゃったんだよ。後はそれをどう改良するかという話で、まさにテクノロジーとしてどんどん発展して、いい飛行機ができていった。その一方で、鳥がどうやって飛んでいるかというサイエンスの話は、完全にお留守になっちゃったわけだ。

「みんな落ちて飛べなかったが、鳥の翼の形に注目した人が翼にエンジンをつけて飛ぶ飛行機を発明した。鳥の飛び方から学んで飛行機を作ったといわれるが必ずしもそうではない。テクノロジーのほうが一歩先に出ることもある。科学と技術はお互いにそういう補完作用を持っている」という話をして、技術と科学という別々のものが互いに影響を与え合うことがあるという例をあげている。

「テクノロジーの目的は作ること。科学の目的は知ること」と言われただけでは、わかったようなわからないような話になる。でも、鳥のように飛ぶために飛行機を一生懸命作るのがテクノロジーであり、鳥がなぜ飛べるのかを知ることがサイエンスであり、両者は完全に一致する同じものではないが、テクノロジーでどうやって飛べるのかを開発していくことで、「なぜ鳥は飛べるのか」がわかってくる、と言われれば理解できる。

科学技術は1つのものではなくて別々のものである例として、鳥と飛行機の関係と飛行機作りの具体例を出してきたわけだ。竹内の「具体的にいうとどうなのか」という質問が導き出した1つの具体例だが、これがなかったら抽象的な話で終わってしまっただろう。この具体例が1つあるだけで理解がぐっと進むし、むしろ具体例のほうが頭に残ったりする。

この**「具体例をあげてください」という質問は、どこでもかなり使える応用範囲の広い技である。**

2 ずらすコツは具体と抽象の往復運動

いきなり本質を聞く

具体例とは反対のようだが、**いきなり本質的なあるいは普遍的な話題にずらして持ってきてしまう例**をあげてみたい。

話がある程度具体的になると、その具体的な軟らかいところばかりをぐるぐる回って、どうしても深まっていかないことがある。結局、それは世間話に終わってしまう。一般の人がレベルの高い人と話をすると、本質的なところに普遍的な問いを立てられないまま、話を終えてしまうことがよくある。

具体例の溝にはまった文脈を転換させる例をみてみたい。これはいきなり本格的な質問に転換する例だ。

村上龍の対談集『存在の耐えがたきサルサ』(文藝春秋)の中で社会学者の小熊

英二がかなり強引な、しかしみごとな転換をしている。

小熊　なんだか村上さんは、自分で凧を起こして浮いている凧みたいな感じがするんです。その凧には「龍」とか書いてあったりするんですけど（笑）。誰も風を起こしてくれないから必死に動き回って自分で風を起こすことで浮いているみたいな感じがする。でもくるくる回ってしまわないように、舵取りのためのしっぽがついているんですね。村上さんが次から次へと探してくる題材は、しっぽの役目をしているような気がします。なんか変なたとえで恐縮ですけど。

村上　いえいえ。でも小熊さんはメタファーもお上手なのに、論文では一切そういうことを書いていない（笑）。

小熊　では凧ついでにもう一つ聞いてみたかったのは、その凧が着地することがあるのかというか、村上さんにとって、安住できるような共同体は果たしてあるんでしょうか？

小熊は「村上さんは自分で風を起こして浮いている凧みたいな感じがする。誰も風を起こしてくれないから、自分で風を起こして浮いているみたいな感じがする。次々と探してくる題材は、しっぽの役目をしている」と話している。村上龍の活動スタイルを凧にたとえているわけだ。この比喩はわかりやすくおもしろい。非常に具体的なイメージを持ってきている。

その次の小熊の質問がいきなり本質的である。「では凧ついでにもう一つ聞いてみたかったのは、その凧は着地することがあるのか。村上さんにとって安住できるような共同体は果してあるんでしょうか」と聞いている。「安住できるような共同体は果してあるのか」というのはいきなり深い質問だ。村上龍は「うーむ」とうなっているわけである。

「僕は好きな共同体はあんまりないんですよね。キューバがほんとうに好きかというとどうなんだろう」と急に考え込んでしまっている。急に考えこませる深い質問をふる。

先ほどの凧の比喩は具体的だが、いきなり「凧ついでに」と、その飛び回っている凧が着地するとすれば、どういう共同体かという深い質問を投げかける。「あれこれあれこれ言っているようだけれど、村上龍の理想は結局のところ何なのか」と聞いているわけである。

最も聞いてはいけない質問というか、そこを言わないで小説にするからおもしろいのであって、その答をあれこれ表現を変えながら書いているのが村上龍の小説のやり方なのである。

このようにいきなり聞くというやり方も、対談の中で話をずらしていく時にはおもしろい。どきっとする。「いきなり本質的な質問にくるのかよ。爪の話じゃなかったのか」という質問である。このあたりは「爪ついでに」という絡みを帯びつつも、ずらしとしては本格的な深い問いへと戻ってきたいい例である。

ただ、こういう本質的な問いを連発してしまうと、今度は停滞してしまう。普遍的すぎて、そこに慣れてしまう。そうなると人生論的な抽象論になりすぎてしまう。そうなったら今度は具体的な世界に戻り、話が軽くなりすぎたら本質にと往復しながら繰り返すことで、らせん的に世界が広がって来る。

基本技は、抽象的な話になりすぎたら、「具体的に言うとどうなるか」と質問する。具体的な話が長すぎたら本質的なテーマに持っていく。この往復運動がずらしのコツである。

3 自分の経験に引きつけて絡ませる

「そのうちどこかで引っかかってください」

自分の経験的な世界や興味と相手の経験世界や関心をすり合わせるのがコミュニケーションの基本だと述べたが、そのやり方の中に、**相手の言葉を自分のほうに引きつけるという技がある**。あまりやりすぎると話を全部自分のほうに持っていくと思われてしまうが、ある程度引きつけるという行為があったほうがコミュニケーションは深まる。

その例として、役者で映画監督でもあった伊丹十三と心理学者の岸田秀の対談をあげよう。(『哺育器の中の大人』・文藝春秋)。

伊丹　エート、とりあえず、岸田さんの講義には幻想という言葉がやたら出てくると思うんですけれども、この幻想という言葉をまず説明していただくところから出発したらいかがでしょうか。幻想という言葉を説明しようという場合、いつもどんな例で説明なさいますか、たとえばこのテーブルは幻想であるかないか——

岸田　このテーブルが存在してるというのは幻想ではないですけどね——

伊丹　つまり、木材がこういう形に組み立てられているト、いわば物自体としては存在してるけれども、たとえばテーブルの上に物を置いてやろうか、とか、この平らな方が上だとか、ひっくり返してあると、ア、逆さになってる、とか思う時は、すでにわれわれの頭の中にあるテーブルという幻想を、この木の構造物に貼りつけて見ているト、いうことになるのかな？

岸田　ウーン、幻想ねえ——そう、幻想とは何でしょうねえ——（笑）

伊丹　アトランダムに例を出しますから、そのうちどこかで引っかかってください。（笑）

岸田秀のキーワードは「幻想」という言葉である。そこで伊丹は「幻想という言葉を説明するところから出発してほしい。いつもどんな例で説明するのか」と聞いている。

これは「幻想」という言葉があまりに抽象的なので、先ほどあげた「具体例に戻す」という技を使ったわけである。そして伊丹のほうで、「たとえばこのテーブルは幻想であるかないか。頭のなかにあるテーブルの幻想をこの木の構造物に貼りつけて見ているだけにすぎないのではないか」と聞く。

すると岸田が「ウーン、幻想ねえ――そう、幻想とは何でしょうねえ」と踏み迷ってしまう。これはキーワードだが、そう簡単に説明できないからだと思う。

伊丹も、相手の世界と自分の世界のどこに引っかかりができるか頭の中で探っている。そして伊丹が次に言った言葉がおもしろい。

「アトランダムに例を出しますから、そのうちどこかで引っかかってください。私のうちは庭が雑木林なんです。そこへあるとき松を三本移植した。すると松というのはまるでたたずまいが違って……」といきなり松の話になっていく。

「他の木と松があまりにたたずまいが違って、突然一般人の中に文化的スターが入った感じがする。なぜかというと、私たちは文化の中で扱われた松や絵に描かれた

図⑧

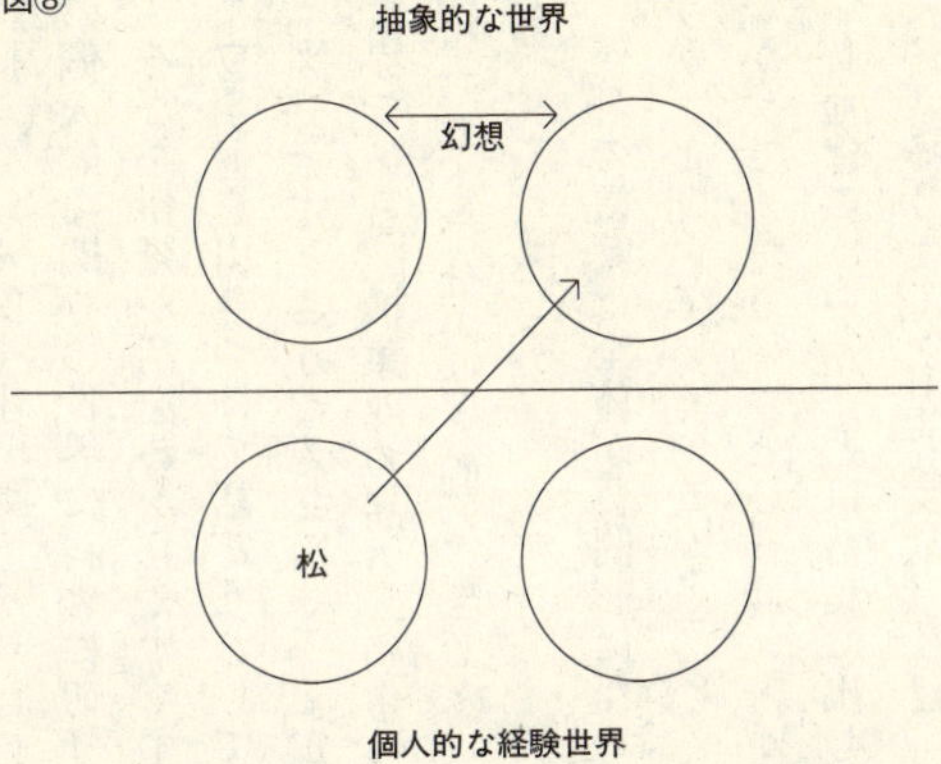

松のイメージを、普通の松の木にも貼りつけて重ね合わせて見てしまうからではないか。要するに私たちが見ているのは、自然のままの松ではなく幻想としての松ではないか」ということを伊丹は述べている。

これは「家が雑木林である」「松が他の木と違ったふうに見えてしまう」という個人的な経験を持ち出して、その具体例とあなたの幻想という抽象的な概念はどこで引っかかるでしょうかと聞く、すり合わせの非常に上手な例だ。「それは幻想ではない」「それは幻想である」と答えやすい具体例である。

これが「幻想とは一般的にこういうこ

とである」と説明しても、なかなか伝わらなかっただろう。あるいは岸田秀がすでに持っている例を出してもそれは持ちネタだから、まとまりのよさはあるが、相手の個人的な関心の世界に斜めに切り込んではいかない。

そこを伊丹が話をわかりやすくするために、**自分の個人的な経験世界に相手のキーワードを引きつけて話そう**としているのだ。

図で示すとこうなる（図⑧）。上半分が抽象的な世界、下半分が個人的な経験の世界である。抽象度の高い「幻想」という言葉をやり取りしているのが上半分、「松」は下半分の個人的な経験で、そこを斜めにつないでいったのが伊丹の技である。

伊丹の言葉は全体が質問形になっている。具体例を出し「これはどうなんでしょうか」と聞いていく。「アトランダムに例を出しますから、そのうちどこかで引っかかってください」という言い方が実に知的だ。

普通はこういうことは言葉に出して言わないものである。心の中で「これを言ってみようか」「これで当たりかな」「じゃあ次はこれを言ってみよう」と自問自答するだけである。

伊丹は非常にクリアな頭脳の持ち主なので「これからこうします。例を出しますから、引っかからなければ、次にもう一回例を出します。引っかからなければ、もう一回例を出します。すなわち引っかかるまで例を出します」と言っている。相手の経験世界にひっかかるまで質問を続けるというわけだ。引っかかれば、その後が語りやすくなる。

ひっかかりを作る努力が「質問力」の重要な部分である。一つ聞いただけでだめでも、くじけないでいくつか聞いていく。その腹の座り方が伊丹の「そのうちどこかで引っかかってください」という言葉に出ていて、読むほうもおもしろい。

「私個人の話になりますが」と宣言する

相手の話を自分の経験に引きつけて話す時、注意すべきポイントがある。**自分の話に引きつけていることを意識できている**ということである。意識があれば、話が行き詰まった時、相手の経験世界に戻すことができる。しかし意識できていないと、ずっと自分の話を続けてしまうことになる。話題を強引に自分のほうに持っていったと受け取られてもしかたがない。

先ほどの伊丹十三は「これからそうします」と宣言してやっている。自分のやっていることを意識できているので、きちんと相手に話を戻すことができる。
　そういう自覚のできている例として、もう一つ対談をあげよう。作家の山田詠美が『メンアットワーク』（幻冬舎文庫）という本で作家の水上勉と対談している。

山田　昔、ある男の子と一緒に海辺のリゾートに行ったんですけれど、そこの鄙（ひな）びたコテージみたいな部屋に入ろうとしたら、隣の部屋からタイプライターの音が聞こえてきたんです。ああいうところから、あんな旧式のタイプライターの音が聞こえてくるなんて、すごく小説的な空間だなあと思ったら、すごく感動してしまって、その男の子といることがなんとなく色あせてしまったんですよ。

水上　また、私個人の暦の話になりますが、タイプの音を聞くと、セックスが恋しくなるんです。

山田　ハハハ。なぜですか。

水上　私は長く京都府庁に勤めていたんですが、奈良女子大とかお茶の水を出た女性でもあの頃はタイピストになった、昭和初期は。部長も課長もタイプを使えないので、その能力を持っていた彼女らは特別扱いでした。お昼休みでも五分早く入る。課長がわざわざお昼休みを伝えに行くんですから。うちの課にいたのはハセさんという美人で、私はもう少年のように憧れた。

山田が昔ある男性と海辺のリゾートに行き、ホテルの鄙びたコテージ風の部屋に入ろうとしたら、隣の部屋からタイプライターの音が聞こえてきたという。「ああいうところから、あんな旧式のタイプライターの音が聞こえてくるなんて、すごく小説的な空間だなあと思ったら、すごく感動してしまって、その男の子といることがなんとなく色あせてしまったんですよ」と語っている。

タイプライターの音に小説的な世界を感じてしまったために、目の前の恋愛感情から少し引き離されてしまったという経験である。その時の水上の受けが私は気に入っている。「また、私個人の暦の話になりますが、タイプの音を聞くと、セックスが恋しくなるんです」と言い、昔彼が京都府庁に勤めていた時、美人のタイピストに憧れた話をする。

山田が「なんだかエロティックですね、タイプライターの音を聞くたびにしたく

タイプライターの音を聞くと……

なるなんて。パブロフの犬みたい」と言うと、水上が「何にでも個人の暦、記憶がまといついているものですよ。文芸というのは、そこを見逃さないんですよ」という対話である。

コミュニケーションのひとつのコツだと思うが、「私個人の暦の話になりますが」と前置きができることは大切だ。「これから自分が生きてきた人生の中で、今の話とクロスする地点を言います、またですみませんね」という前置きがあって、話をする。つまりコントロール可能ということを相手に示しているのだ。自分の話を始めたら止まらなくなる〝病気〟は持っていないことがわかる。

と言ってまるで関係のない話かというと、タイプライターの話だからきちんとつながっている。しかもこのつながり方がなかなかおもしろい。タイプライターと恋愛の関係を自分の経験の世界につないで話をしている。

たまたまそういう経験があったと言えばそれまでだが、やみくもにただタイプライターの話をすればいいというものではない。タイプライターと恋愛感情という、結びつきようもないものが結びついている、その論点のおもしろさをきちんと引き受けて話しているのだ。

相手の話を自分の世界に引きつけてきて、自分の世界に絡ませている。あるいは自分の経験を相手の話している文脈にきちんと絡ませながら、話を進めている。絡ませるということが基本技である。水上は**「引きつけて絡ませる技」**をコントロールされた**意識で行なっている。これは非常にすぐれたやり方である。**

第五章

クリエイティブな「質問力」

1 ダニエル・キイスと宇多田ヒカルの共感

最終目標は、相手をインスパイアする質問

最終章ではハイレベルな「質問力」について述べていこう。その例としてアメリカの作家ダニエル・キイス、アメリカの作家ジェームズ・リプトン、そして同じくアメリカの黒人作家アレックス・ヘイリーの3人を取り上げたい。

もちろん日本人でもハイレベルな質問をする人はいるが、今回はアメリカ人でそろえてみた。欧米人の「コメント力」や「質問力」は総じて日本人より高い。その中でもすぐれた「質問力」のある人のレベルを知れば、私たちにとってもひとつの目標になるだろう。質問の質も日本人が聞くのとは少し様子が違ってくるので、そのあたりも刺激になるはずだ。

ここで言う「ハイレベルな質問力」を大づかみなイメージで定義すると、限られ

た時間の中で相手にとって本質的な事柄を聞き出すことができる能力のことをいう。とりわけ、**答えている当人がその質問をされるまで思いもしなかったことが導きだされるものを、最もすぐれたクリエイティブな質問**という。

答える側にすでに用意されている知識を再生するのではなく、その場で生まれるものを刺激し、誘発するもの、つまりインスパイアする質問ということだ。インスパイアとは霊感を吹き込むインスピレーションという言葉と関連している。そのインスパイアが起こる働きをもった質問が、最もクリエイティブな質問ということになる。これが「質問力」の最終目標である。

立場を明らかにして共感を呼ぶ

その例としてまず初めに取り上げたいのが、歌手の宇多田ヒカルと作家のダニエル・キイスが『文藝春秋』の2000年1月号で行なった対談である。

ダニエル・キイスは『アルジャーノンに花束を』や『24人のビリー・ミリガン』がベストセラーになっているので、日本でも知っている人が多いだろう。

宇多田ヒカルは1983年ニューヨーク生まれ、ダニエル・キイスは1927年、同じくニューヨーク生まれである。このときダニエル・キイスは72歳、宇多田ヒカルは16歳だから、何と56歳違いの対談ということになる。

英語で行なわれた2人の対談はキイスの「ニューヨーク生まれだって、私もそうなんだよ」という言葉に「えっ、本当!」と宇多田ヒカルが返すところから始まっている。

この対談について流れを追っていきたい。

対談はダニエル・キイスが常に質問をリードしていく形で進められている。簡単な自己紹介のあと、キイスがまず最初に言ったのが、「同じニューヨーカーとして、どうして音楽を書きはじめるようになったのかを聞かせてもらいたいね」というものだ。

「どうして音楽を書きはじめるようになったのかを聞かせてもらいたい」というのは本質をつく基本的な質問だ。しかし「同じニューヨーカーとして」という前提をつけることによって、「どうしてやり始めたのか」と一般的に聞くより、共感を呼ぶ質問になっている。同じニューヨークで育った表現者同士という関係の中で、ある程度、深いところまで話してくれというメッセージだろう。

宇多田ヒカルが「自分でも、あまり……。私の両親は、いつも音楽を作っていて、一緒にスタジオにいました。彼らは私が歌うことをすごく応援してくれたけど、やらされているようで、気がのらないこともあったんです。だんだん自分で書いてみようかなと思いはじめて、やってみたら気に入ったので続けてきたってところかな」と答えたあと、次にキイスが聞いた質問は「それじゃあ詩について、同じ書き手として聞くけど、何からインスピレーションを得られるのかな」である。これもやはり「同じ書き手として」という限定をつけている。ここは漠然とした答ではなく、自分の専門上の秘密を探ってみてくれという、またしてもメッセージになっている。

キイスは質問者がどういう立場で聞いているのか、相手との関係性によって答の質が変わって来ることを知っているのだ。一人の人間として聞くのか、同じアメリカ人として聞くのか、あるいは同世代の人間として聞くのか、聞く人の立場によって答え方も違ってくる。

このように**「～として聞く」という習慣は、会話をクリエイティブに組み立てて**

いくために大変よい方法だ。

宇多田が「毎日の生活からだと思う。日本では抽象的なことを曲にする書き手が多いけど、私はヴィジュアル・コンセプトからで、映画のシナリオを書くのに近くて言葉にした情景はすべて見ることができます」と答えると、キイスは「自分の小説のアイディアは夢からだ」と自分のケースを述べて宇多田に返している。これは一つの礼儀である。相手に聞いて聞きっぱなしというのは、片方だけ服を脱がしているような狡さがある。

もちろん一般市民として聞く場合は答えなくていいが、「書き手として聞く」と言っている以上、書き手の自分はどうやってインスピレーションを得ているのかを相手に言う対等な関係性が要求される。キイスはその点をはっきり認識している。お互い初めて会ったわけだから、短い時間で信頼関係を作っていくためにはぜひ必要なことである。

続けてキイスは「物語を書くためには、とても長い時間が必要ですから。曲作りの場合はどうですか？」と質問している。要するにまず自分の情報を出した上で、「自分の場合は長い時間がかかる。それと比較したらどうか」と聞く。

漠然と「曲作りに時間はかかりますか？」と聞いて「長くかかる」と言われたらそれまでである。だが比較対象を出すことによって、答はより具体的になる。

宇多田は「一番早くて半日。一番かかったのは一年ぐらい」と答える。半日は短い。一年は長い。この場合は一番早いケースと、一番遅いケースを伝えている。これも答え方が誠実だ。

人によっては「時と場合によりますよ」と答えるかもしれない。「場合によります」とか「微妙」と答えられると、次の質問をする気力がなくなっただろう。「けっこうかかりますね」と答えても何の情報量もない。宇多田のような答え方をするケースは少ないのではないだろうか。キイスは「わかるよ。アイディアによるからね」と返している。

この対談は全体に運びがうまいのだが、たとえば宇多田が「あの……。なんて言ったらいいんだろう。自分の曲が誉められると嬉しいと思いますよね。うちの両親もいつも『ああ、いい曲ね』とか『ほんとうに素晴らしいわ』と言ってくれる。それは自信を膨らませるだけだって思っていたけれど、実は批評されるのって、まったく反対の気持ちになる。すごく不安にさせられる」と言った時、キイスはすかさず「なるほど。どうして?」と聞いている。宇多田が「『いい曲ね』って言われている時は、本当にそうかなって、自分に問いかけるチャンスでもあると思うんですけど、『もっと良くできるはず、あれがベストではない』って、いつでも感じている。賛辞って私、より不安にさせられるんです。クリエイティブなことを言ってもらえると、とても役に立つけど」と答えると、キイスは「わかるよ。同感だ」と受ける。

相手が言ったことに対して「どうしてか?」と聞き、その答に対して「わかるよ」と受ける段取りは共感系の基本作法である。相手の答に「ああ、そうですね。わかりますよ」と受けていけば、話はいちおう続いていく。

1つでもインスピレーションを得られれば成功

宇多田の方もキイスに対してきちんと質問している。「何かを創るというのは、孤独なプロセスだと思います?」という一気に本質に迫る深い質問である。創造的な活動はチームでやることもあるが、ともかく創造活動は孤独なプロセスではないのかと問いかけているのだ。彼女自身が若いのに、その孤独さと向き合わなければならない辛さを抱えているからだろう。

するとキイスは自分の頭を指して「もちろん。すべてがここで創られるんだから」と答えている。「自分の一部が自分を離れて、すべてを見ているような感覚がある。もう一人の自分がいるという感覚、それが多重人格につながる。いずれにしても分裂しているような感覚がある」と言うと、宇多田は「そういうの、私にもありますよ。これって曲に書けますね」という言い方をする。

つまり宇多田はここで1つインスピレーションを得たわけである。曲を作っている時に、自分の一部が離れて別の人格になっている。このモチーフを1つの曲に表現できそうだというインスピレーションを得たわけだ。これだけでも対談の意味があっただろう。

1つでもインスピレーションを得ることができれば、コミュニケーションは完全な成功である。会議の場合は、最終的な結論や決定事項までもっていかなければ意味がないことも多いが、対話はその最中、1つでも自分自身が何かを思いついたり、新しいアイディアがわけば、非常にすばらしい出会いだったといえる。そういうことがもうこの地点で起こっている。

もう一人の自分が自分を見ている

　次のキイスの質問もおもしろい。「ところで、あなたは学校に通っているんだよね。授業中に素晴らしい曲が閃(ひらめ)いたらどうする？」というとても具体的な質問である。これは相手の文脈に沿っている。今相手は学校に通っており、自分とは環境が違う。宇多田は「自分の携帯を持ってトイレに行って、自分の留守番電話に録音するかも」と変わったことを言っている。

　キイスは笑って「そりゃあいい。だけど音楽家はどうやって曲を作るのかな。あとで本の作り方を話すから、教えてくれないか」と質問をする。これはこの対談のメインテーマである。**曲を作る創造活動のプロセスと本を書く時のプロセスを照らし合わ**

せながら、お互いに本質的な対話をしようという意思が、特にダニエル・キイスの方にあると思う。

「あとで本の作り方を話すから」というのは、みごとなアメリカ的なギブアンドテイクの世界。世の中には一方的に聞いて、聞いて、聞き続ける人もいる。話す方も最初はいいが、だんだん疲れて来る。ちょっとこちらから持ち出しが多すぎるのではないかということもあるし、いったいそれがどう生きるのかもわからない。まるで月夜の海に石を投げるようなもので、どこに落ちたのかもわからない。そういう感じになるので、キイスの質問の仕方は非常に参考になる。

宇多田は「ＯＫ。まずはキーボードやシンセサイザーの前に座って、それから弾きはじめるんです。私はコードの名前とか知らないから、演奏するだけ。『この音はいいわ。この音は気に入った』という感じでサウンドを聴く。そうすると音がみつかります。シンプルな作業で、メロディを作ろうとはしない。それから詩を書きはじめる。日本の他のミュージシャンは、歌詞を先に書いてから曲をつけるって言うけど」と曲の作り方を答えている。

2人の共通理解を深めて対等な関係性を維持する

さらに2人の対談を見ていこう。

キイスは宇多田の"I don't love you"という曲の歌詞について、「これはみんなロールプレイだ」と言っている。つまり彼は宇多田の歌詞がみな経験的な認識であると見て、「自分は答にたどりつくのに七十二年かかったのに、あなたはなぜそんなに若いのにそこまでできてしまったのか」という問いを発している。

宇多田は歌詞を作った当人だから、きっと何かの思いはあるわけだが、キイスのこの質問は宇多田の非常に深いところに食い込める問いである。

実際に宇多田はこの答として、「自分は孤独な子供で、ひとりっ子で、周りはみんな大人だった。自分で自分のケアをしなさいということが基本である一方で、私が存在していることは誰も知らないと感じていた。自分がそこに存在しているんだけれど、自分はその外側にいるんだと思っていた。それが私の内面に『二つの視点』という感覚を育てたんだと思う」と返している。自分が世界に存在しているスタイルや様式についてクリアに答えているのだ。頭がいい。

キイスも「私もそうだよ、ずっとひとりっ子だった。天才になったチャーリイも、自分のなかに別の存在がいることを見ている」と言う。チャーリイとは『アルジャーノンに花束を』の主人公のことである。

ここで2人の間に2つの視点、2人の自分というテーマが確立されている。最初のほうに出てきた多重人格、別人格の話が伏線になっていて、ここではこれをキーワードにしようという暗黙の了解が2人の間でできている。二重性をめぐってそれを縦糸にして、お互いに話を拡張していこうということを確認しあっているわけだ。

キイスの質問はややカウンセリングのようである。たとえば宇多田が「日本では有名なミュージシャンでスポットライトを浴びているけれど、学校に行ったら、誰も有名人だと思っていない。それに慣れなきゃいけないとは思っているけど、難しくて。まだ『普通の子どもでいたい』と思っている自分もいるし。だけどもう元には戻れないから」と言うと、それに対して「どうやって対処してるの？」とか、音楽によって自由になったが、外を歩く自由は取り上げられたという宇多田に対して「それについて、今はどういうふうに感じているの？」とたずねている。それに対して宇多田は「私は今でも両方とも求めているけど(笑)。また、自由に出歩きたいな。それができないなら、音楽なんて嫌と言いそうなほどに」と答える。

「どうして」「どうやって」という質問で何度も促しているのはカウンセリングマインドに近い感じで、**相手の心に寄り沿い、一番心の負担になっている部分を分かち合いたいという方向性**がある。

一方、宇多田のほうの質問もすぐれている。

キイスが書いた『二十四人のビリー・ミリガン』について、「あれって、本当の話ですか？」とまず聞いている。これは非常に基本的な質問である。「そうだよ」とキイスが答えると「初めに多重人格の話を書こうと思ったんですか？　それとも、彼の話を最初に知ったのか……」と聞いている。

素朴ではあるが、小説家が書き始める段取りについての基本的な質問だ。**物事の結果について聞くより、何かが生まれてきた経緯について聞いたほうが得るところが多い**。宇多田の質問は基本的なことを押さえている。

さらに2人の対話は進む。

キイスの質問で、自殺の話が出て来る。「あなたには他の人の感情を感知する洞察力があると思うけれども、若いアーティストはどうやって死を扱うのかな。あなたは死をどう見てるの？」と宇多田に対していきなり普遍的な質問を投げかけている。

このあと2人は死にまつわる話や自殺について話し合い、宇多田が「自殺はしません」とかなりはっきりと言っている。キイスのほうは「私はタイプライターに手をのせたまま死にたい」という応答をしているわけだ。

初めて出会った者同士が死について語り合うのは、珍しい。2人が表現者であるという共通基盤があったので、話しやすかったのかもしれないが、死という本質的な事柄について、初対面でもどんどん踏み込んで聞いていく対話は、親しくならないと本質的なことを聞かない日本人のスタンスから見ると、ずいぶん思い切ったコミュニケーションに見える。

それができるのはそこまで来る間に、**2人が共通理解をかなり増やしているから**である。たとえば自分の中に2人の自分がいるのではないかとか、孤独は自分の創作活動にどう影響するのかなど話し合い、共通理解を深めているので、死についてのテーマにも踏み込める。そうでなければ、自殺や死についていきなり切り出しても対話がギクシャクするだけだ。

「あなたは天才ですか？」

いよいよ、対話の時間も残り少なくなると、キイスは核心をつく質問を繰り出す。

キイスの「さてそろそろ最後の質問にしよう。あなたは天才かな？」という質問は、素朴といえば素朴な質問だが、おそらくそこを刺激すれば、宇多田はいろいろしゃべるだろうというひとつのツボである。みんなが彼女のことを天才だと言っているわけだから、そこをついてみたのである。

「NO！　とんでもない。天才なんて言われたら、きっと屈辱だと感じちゃう。とても非人間的だから」と宇多田は答える。このあと、キイスは天才とはどういうものかについて自分の認識を話しはじめる。

つまり「あなたは天才か？」という問いは、ただ聞いてみただけという質問ではなく、**自分は天才について考えるところがある、その用意があって聞いていたわけ**である。

キイスは天才の基準として「問題なのは、天才とは何かだ。自分以外のために何をしたか。天才であるだけなら、無意味だからね。腕に針を刺して、通りに転がっている天才がたくさんいる。何かを全うするために、人生を捧げるようになって、初めて意味を持つんだ」と言っている。世の中には自分の意見や答を持っておらず、ただ相手にぶらさがって聞いているだけというインタビュアーもいる。

この章で紹介する3人、ダニエル・キイス、ジェームズ・リプトン、アレックス・ヘイリーは自分の中にしっかりしたヴィジョンを持っている。自分の考えと相手の考えをすりあわせていきながら、コミュニケーションのレベルをあげていこうというスタンスである。

ハイレベルの「質問力」で大切なのは**自分自身にその質問をした時、どう答えるのかを、一応シミュレーションして、ある程度の答を用意しておく**ということである。自分が聞かれたら、とうてい答えられないような質問はしない。そうでないと、返ってきた相手の答に対応できないわけだ。

宇多田は「『天才である』っていうことで私が学んだのは、その事実については何もできないってこと」だと言い、さらに「時々、自分の楽しみのためだけに音楽を書いて、それを発表しなかったらどうだろうって考えたりする。だけど、聞いたり、触れたり、見たりしてもらわなければいけないのね」と言っている。

その文脈でキイスはエミリー・ディキンソンの詩をあげ、その詩が好きだと言っている。すると宇多田も武者小路実篤の詩を引用して、2人は話をまとめる。

キイス　エミリー・ディキンソンの「戸棚のために書いた詩」というのがある。彼女は発表しないつもりで書いたんだ。知ってるかな？　いくつも詩を書いているなかで、人間性について書かれている作品がある。たしか、こんなふうだった。「あなたは私を除け者にする円を自分の周りに書く。私はあなたを受け入れる円を自分の周りに書く」

美しいね。戸棚のためだけに書いた詩だけれど、ありがたいことに誰かが戸棚を開けて、その詩を発見して、そして、発表された。でも、世間のために書かれた詩ではないんだ。ただ、作品が書かれるべきだと感じたんだろう。この詩、好きなんだ。

宇多田　どうやって翻訳したらいいのかわからないけれど、有名な日本の作家（武者小路実篤）が、こう書いている。「自分は力が強くなければ歩けない道を選んだ」そしてこう続けている。「歩き続ければ、力は自然に強くなる」って。そして道も開けてくる。どうして私がこんな目にあわなければならないのって思うこともあるけれど、自分はその道を歩いているのね。

キイスが何かを引用してきたら自分も日本の作家を引用することで、年齢差はあるが対等な関係で話ができる。**相手に一方的におんぶをしたり、ぶら下がったりするということをしないで、相手が出したら、こちらも出すということを繰り返していく。**その結果、年齢差を超えて、2人は非常に共感して対話を終えている。

もちろんこれは特殊な才能を持った2人の対談なので、必ずしも一般化できないが、最初から文字を通してプロセスを見ていくと、共感を得る質問がキイスによってひとつひとつ周到に用意されていることがわかる。

多分ライブで対談している時はお互いに気持ちよく話しているだけだろうが、キイスがよく練られた質問をしているおかげで、非常に短時間で魂が交流するような高いレベルの対話が可能になっている。

最後に二人は「ありがとう。ありがとう。君に会えて、ほんとうによかったよ」「こうやって会えたこと、私は永遠に忘れないと思う」で対談が終わっている。対等な関係性を維持する対話のスタイルを学ぶのによいテキストだろう。

2 相手の経験世界に沿うクリエイティブな「質問力」

相手について勉強したことを仮説にして質問する

次に『アクターズ・スタジオ・インタビュー』というNHKのBSで放映された番組を紹介したい。これはアメリカの作家ジェームズ・リプトンがいろいろな映画俳優や監督にインタビューするテレビ番組である。

リプトンは『ミラーズ』という小説が代表作で、アメリカでは有名な作家だ。テレビのスタジオに集まった観客は俳優、脚本家、監督を志望する学生である。つまり質問はある程度専門的になってもいいという条件で行なわれている。

この質問が毎回、的確で際立っている。質問がすぐれていることもあって、回答もおもしろい。日本ではなかなか見ることができないほど充実したインタビュー番組に仕上がっている。

まず、リプトンの事前の勉強がすばらしい。インタビュー相手の映画を全部チェックし、転換点や成長のプロセスをひとつひとつクリアに質問していく。一例として、『E.T.』や『ジョーズ』で有名なスティーブン・スピルバーグ監督の回をとりあげよう。

まず最初に「両親の影響は大きかったか」という質問を持って来る。誰でも親の影響は大きいだろうから「そうです」と答える。スピルバーグは「コンピュータの技術者の父とピアニストの母の間に生まれた」と言っている。

実はこの質問はずっとあとに出てくるある話の伏線になっている。リプトンはただ聞いてみただけではなく、あらかじめある種の仮説と計算があってこの質問を投げかけたのだ。

スピルバーグの答に対し、リプトンは「あなたはアメリカを代表する映画人のオーソン・ウエルズと同じだ」と言っている。オーソン・ウエルズは『市民ケーン』を撮った名監督であり、俳優でもある。彼も発明家の父とピアニストの母の間に生まれているから、スピルバーグと似ている、という共通点を指摘したわけである。

それに対するスピルバーグの答が「同じ両親だったりして」。スピルバーグはジョークが上手だ。

そんなふうにリプトンは**相手について充分下調べをした質問**をしていく。**視聴者にとっては非常に生産的**である。

たとえば「少年の時、大切な本に落書きをしたそうだね」と話をふる。スピルバーグは「ディケンズの『二都物語』にパラパラ漫画を書いた。それが動く絵を扱った初めだ」と言う。「名作を使ってね」とスピルバーグがジョークを飛ばすと、リプトンは「それは恰好の挿絵だね」と返す。

ジョークがふんだんに飛び交う、知的でおもしろい対談である。

「いつから8ミリビデオを使ったのか」とか、「血だらけのシーンをどうやって作ったのか」というリプトンの質問が続く。血は煮詰めたチェリーで作ったらしい。まだ10代の子供の頃の話だそうだ。

リプトン　注目すべきテーマが2つ。家全体が光で照らされるシーンがあるね。どんな光だっけ?

スピルバーグ　別世界から来た物体が放つ光だ。

リプトン　別世界ね。そのアイディアがやがてある作品を生みだした。
スピルバーグ　『未知との遭遇』だ。
リプトン　もうひとつのテーマが両親の不仲。君の永遠のテーマとなるものだ。

そのあと、リプトンはひとつひとつの作品について丁寧に聞いていく。たとえばやはり10代の中頃にスピルバーグは『ファイアライト』という作品を作っている。リプトンは「この映画の中に光が出てきますね」と質問をする。

これはなぜかというと、のちにスピルバーグが作った『未知との遭遇』で、光がUFOの光として使われているからだ。『ファイアライト』はその元になった作品ではないか、ということをこの質問にこめているわけである。

続けて「両親の不仲がテーマですね」と聞くのだが、これも不仲な両親を持つ子供というテーマが、スピルバーグの核になっているからである。そのテーマが一〇代のこの時期にもうあるのではないかという指摘だ。これは質問というより、自分の発見、仮説を相手に試していると言っていい。

単に知らないから聞いているのではなく、**自分が相手について勉強した結果発見**

したことを仮説にして、相手に確かめているわけである。仮説がはずれる場合もあるだろうが、ともかくアクティブな質問だ。相手の言葉にただ耳を傾ける質問とはまったく違う。これがあまりに頑固だと相手を決めつけてしまうのでよくない聞き方だが、この場合にはスピルバーグの同意を得たようだ。

リプトン　(『続・激突』の)撮影監督は?

スピルバーグ　V・ジグモンド。『脱出』や『ギャンブラー』を見て決めた。当時一番の撮影監督だった。

リプトン　だれの視点で撮るか聞かれた?

スピルバーグ　そのたびにムッとして〝僕の視点だ〟と答えてた。生意気だったんだ。

リプトン　彼は何と?

スピルバーグ　〝行った学校が悪かったらしい〟〝いい映画を見てないな〟。若かったからいい経験になった。意見してくれる人は貴重だからね。撮り方を問われるということは作品のとらえ方を問われることだ。どう撮るかというのは、物語の語り口を決める根本のものだ。そこで相手に同調してしまったら、自分の語り口ではなくなる。最初は稚拙でも、自分のやり方を貫くことが必要だ。

「カメラは誰の視点で撮るんですか?」

リプトンはいろいろ聞いているが、とくに大事な話のクライマックスは『激突』が成功して、『続・激突』を作る時になった時のことである。

カメラを誰の視点で撮るのかという質問をすると、スピルバーグは「もちろん映画監督である僕だ」と答えている。カメラマンや俳優の視点ではなく、自分の視点を優先するのだと彼は言う。それが映画の語り口を決める上で根本的なことだから、初心者のうちはとくに自分の作り方を貫く姿勢が重要なんだというメッセージを引き出している。

「カメラは誰の視点で撮るのか」という非常に具体的でシンプルな質問だが、リプトンはそれが映画のスタイルを決めるポイントであることがわかっていて聞いているわけである。その答を通して、映画監督の作家性を引き出すことに成功している。

そのあともヴァリエーション豊富な細かい質問はあるが、リプトンの軸はぶれない。この場合前半部分の軸は、スピルバーグにとっての子供の視点である。「子供の目を通して作品を作るのはねらったものか」というものだ。リプトンはそれをスピルバーグに投げかけている。行き当たりばったりで聞いている質問者の質問とは、おのずと違うテーマ性を持った質問である。

リプトンは事前にすべて質問を用意し、ある程度ストーリーを持って聞いている。あまり台本を書きすぎると2人の間のライブな感覚が失われるが、そこをうまく処理する能力があれば、**テーマを持った質問は、コミュニケーションを深める可能性が高い。**

子供の目を通して見るという映画の作り方は、スピルバーグにとって本質的なことだとリプトンは考えている。だから本質へ向かった質問をしているわけだ。日本では映画監督や映画俳優が来日すると、とても些末な質問をして相手を怒らせてしまう。比較すると雲泥の差である。

リプトン　（『未知との遭遇』は）君ならではの特徴がすでに表れた作品だ。つまり子供の目を通して描かれている。ねらったんだね？　だから大人たちが宇宙船に乗り込む時も手を引く宇宙人が子供のような姿なんだね。
スピルバーグ　ああ。
リプトン　異星人を演じたのは？
スピルバーグ　少女たちだ。
リプトン　何歳？
スピルバーグ　そうだな。7～9歳だ。
リプトン　トリュフォーが出演を。
スピルバーグ　最高だった。
リプトン　教えて。
スピルバーグ　至福の時だった。何カ月も彼のそばにいて一緒に過ごせたんだ。映画の話もできた。あの巨匠とね。ある日彼に言われたんだ。〝君は子供の映画を作るべきだ〟。言ってみれば『E．T．』は彼にささげた作品だ。彼の言葉にこたえたんだ。

続いてスピルバーグが、フランスの映画監督フランソワ・トリュフォーとの関わりについて述べる。

『未知との遭遇』の撮影の時、トリュフォーも参加したそうだ。彼はスピルバーグに「あなたは子供の映画を撮ったらいい」と言ったという。それが強く印象に残っていて、のちに撮った『E.T.』は子供の視点を中心においた。トリュフォーに捧げた映画だとスピルバーグは言っている。

私の個人的な考えだが、コミュニケーションの際、相手の精神分析的な深層心理や過去の心的外傷をつき詰めていくことがいいことだとは思わない。だが、その人にとって**活動の根幹をなしている本質的なテーマについては常にふれていた方がいい**、と思っている。その意味でリプトンのスピルバーグに対するインタビューは、テーマ性を持ってのぞむ質問のいい例である。

ハイレベルな質問の中には、インタビューされた側が質問によって「気づき」を得るものがあると前に述べたが、ここでもそれが起こっている。

たとえばリプトンが『未知との遭遇』の中で、コンピュータ音楽について質問する場面がある。映画の中で宇宙人と交信する方法として、コンピュータ音楽を使っているからだが、リプトンの質問に対してスピルバーグは「音楽担当者が7週間くらいかけてコンピュータで曲を作り、ピアノで演奏をして聴かせてくれた」と言う。するとリプトンは「あなたのご両親なら宇宙人とどういう方法で交信するんでしょうか？」と質問をする。

「ご両親なら」というのは一見、何の脈絡もない取り合わせである。両親もコンピュータで曲を作ってそれを演奏するのではないか、というアイディアを提供する質問である。スピルバーグは「今言われるまで考えたこともなかった。感謝するよ」と感慨深げに笑うのである。

この質問は彼の父親がコンピュータ技術者であり、母親がピアニストであるという最初の答を踏まえての質問だ。またスピルバーグが子供の視点で映画を撮るということや、他者との交信といういろいろなテーマを、網の目のように折り重ねたところから生まれたものである。

リプトンにはある程度ストーリーがあったのかもしれないが、ここまで積み重ねて出てきている質問には厚みがある。リプトンの深い洞察力の勝利である。普通の人にはなかなかできないハイレベルな質問だろう。

リプトンの例は**綿密に下調べをして、ポイントを落とさず、しかも質問者自身が**

テーマをもってのぞんでいるところに特徴がある。日本人によくありがちな、下調べをしないで素朴に聞いてしまう質問とはレベルが違う。番組スタッフも努力している。だから相手が変わっても安定したいい番組になっている。

3　テーマ性を持って聞くクリエイティブな「質問力」

本音を引き出すパワーを持った質問

3番目に取り上げるのはよりテーマ性の強い聞き方である。リプトンのスピルバーグ監督へのインタビューは、彼が創作した映画について、幼少期から順を追ってきっちり聞いている。それに対して、より強くテーマ性をもって聞いているのがアレックス・ヘイリーの『プレイボーイ・インタビューズ』（中央アート出版社）である。

アレックス・ヘイリーは黒人奴隷の生涯を描いた『ルーツ』の作者で、『マルコムX自伝』の共著者でもある。『ルーツ』の執筆以前に『プレイボーイ』誌でインタビュアーをつとめている。自らも黒人であり、60年代を中心に90年代に至るまで、黒人問題に焦点を絞ってアプローチしているクリアなインタビュアーだ。

インタビューされているのはマイルス・デイヴィス、マルコムX、カシアス・クレイ（モハメド・アリ）、マーチン・ルーサー・キング・ジュニア、サミー・デイヴィス・ジュニア、クインシー・ジョーンズといった黒人のすぐれた人たちだ。インタビュー相手のセレクションにもテーマ性があるが、その質問が深いので相手の答も真剣である。他ではなかなか見ることができないほど充実したインタビュー集ができ上がっている。

ヘイリーは全員に対して黒人問題に関する本質的な質問をしているが、どんなものがあるのか、マイルス・デイヴィスへのインタビューを例にとりあげてみたい。

ヘイリー　あなたが手にしたミュージシャンとしての成功とともに、観客に対する不機嫌さや態度の悪さも話題になっていますが、それについてコメントはありますか？

デイヴィス　何でみんな俺について、ああだこうだ言わなきゃなんないんだ？別に俺は重要人物じゃないんだから、イラついちまうぜ。他にやることがないんだろうが、俺の名前を出す時、演奏する前に曲名を言わないとか、客と目を合わせたり、お辞儀をしたり、話しかけたりしないとか、演奏中舞台から消えちまうとか、クソみたいなことを言ってる批評家がいるな。なあ、俺はトランペット・プレイヤー以外の何者でもないんだぜ。できることといえば、ホーンを吹くことぐらいのもんだ。まあ、これしかできないっていうのが、すべてのごたごたの原因なんだがな。俺はエンターテイナーじゃないし、そんなもんになるつもりもない。あくまでミュージシャンだ。まず第一に、俺について言われていることの大半はウソだ。俺がやることにはすべて、理由ってもんがあるんだ。

一番最初の質問で「あなたの観客に対する不機嫌さや態度の悪さが話題になっているが、それについてコメントはあるか？」と切り出している。観客に対するマイルス・デイヴィスの態度が悪いことについての質問だが、なかなか鋭い切り口である。**彼の中にある、ある種の憤懣といったものに火をつけ、蓋を開けるような質問である。**

案の定、マイルスの答は過激だ。「何でみんな俺について、ああだこうだ言わなきゃなんないんだ？　別に俺は重要人物じゃないんだから、イラついちまうぜ」とか「客と目を合わせたり、お辞儀をしたり、話しかけたりしないとか、演奏中舞台から消えちまうとか、クソみたいなことを言ってる批評家がいるな」とか「俺はエンターテイナーじゃないし、そんなもんになるつもりもない。あくまでミュージシャンだ」と言っている。

自分のアイデンティティについて、あくまでトランペッターで、エンターテイナーじゃない。舞台でおしゃべりしたいわけではない、と怒りの感情を引き出している。

畳みかけるように次に来る質問が「特に頭に来てしまう連中とは？」である。相手の憤懣や不満に火をつける効果的な質問だ。ヘイリーの質問だけ見ていくと、非常に短いが的確である。質問だけを拾っていこう。

3番目の質問は「非難されるのは、自分が黒人のせいだからだと思っていますか？」

4番目は「基本的に人種についてどのような感情を持っていますか？」

5番目「小さい頃、白人の友だちはいましたか？」

6番目「好奇心はあなたの音楽にどのような役割を果しているのですか？」

質問はどれも短いが、あらかじめ用意されたものだと思う。**質問が短いのに答は長い。ということはそれだけ答を引き出すパワーをもった質問ということになる。**

少し先の質問では「演奏したくない場所とかクラブはあるか？」と聞いている。これは黒人問題についての基本的な質問である。ヘイリーは他にも何人かに同じような質問をぶつけている。

当然、マイルスは「そりゃあ、いくつもあるさ！　南部ではどことも出演契約を結ぶ気はない。俺は黒人差別には我慢できないから、行くつもりもないぜ」と言う。その後も「連れてきた女にいいところを見せるために音楽を利用している白人たちの前で演奏するのはゴメンだぜ」「黒人が聴きに来れない南部じゃ、演奏をする気はさらさらないって言ったが、黒人の来ない北部のクラブで演奏をするのもゴメンだね」と怒りをあらわにする。

最後の質問は「自分が黒人であるということをずっと意識してきたのか？」というものだ。ヘイリーは全員に対してこの質問をぶつけているが、これに対してマイルス・デイヴィスは「頭の中にある一番古い記憶は、ニガー、ニガーって叫びながら、通りを下りながら俺の方に向かってくる白人の姿なんだ」と言い、マイルスの父親がショットガンを持って彼らを追いかけていく話を熱く語っている。

質問の個数もそれほど多くないし、質問自体も短く、ほとんどマイルス・デイヴィスがしゃべっているが、彼の本音を思いっきりさらけ出させたという点では無駄のない、企画に沿ったインタビューだ。さきほどの宇多田ヒカルとダニエル・キイスの対談のように、質問者の経験を話し、共感の地盤を作って聞いていく対等なコミュニケーションとは違う。

まったくクリアにインタビューに徹し、共感を示すこともほとんどない。「私もそうだよ、経験がある、黒人だから辛かった」ということさえ言ってない。純粋に質問だけして、これだけの話を聞き出すのは見事である。これぞインタビュー術だろう。

普通の意味での対話ではなく、質問だけで成り立っているコミュニケーションだ。

だから「質問力」の高さがあからさまに試されている。

「あなたの視点からラウンドごとに解説してもらえますか?」

カシアス・クレイに対するインタビューもすぐれている。カシアス・クレイは現在改名してモハメド・アリと呼ばれているボクシングの世界ヘビー級元チャンピオンである。

インタビューの焦点は、アリが世界チャンピオンの座を獲得したソニー・リストン戦に絞られている。まさにアリの存在が世に大きく知られるようになった転換点に焦点を絞って細かく聞いているのだ。ヘイリーの質問でよく勉強をしているなあと感心させられたのは次の質問である。

「マスコミはあなたのトレーニングについてはそれほど印象に残らなかったようですが、リストンのトレーニングのことは知っていましたね。このことも計画に含まれていたのですか?」これは、アリが自分のトレーニングを隠していたのではないか、ということを示唆している。

これに対してアリは「見るところは見てるじゃないか」とヘイリーを評価する。

「俺は自分の陣営の人間以外にはトレーニングを見られないようにしていたんだ」、要するに隠していたということを認めているのだ。

相手に対してよく勉強をしていて、他の人が気付かないようなポイントを質問することによって信頼を得るのは、コミュニケーションのひとつの方法だ。「見るところは見てるじゃないか」という言葉が端的にそれを示している。こいつとは深い話ができると思わせる、その気にさせる質問である。

起こった現象や結果についてではなく、意識的にその人が行なっている事柄であまり一般的に知られていないポイントをつくと、「よく見てくれた」という評価につながる。そこで信頼関係が生まれる。

質問や対話のコツとして、**相手が苦労している事柄で表に出にくいポイントに関して聞くのは有効な方法である。**

おもしろいのは「蝶のように舞い、蜂のように刺す」という有名な言葉がアリの会話の中に出て来ることだ。すかさずヘイリーが「その意味は？」と聞いている。これは誰でもできる質問だが、読者がまさに聞いてみたいツボを得た質問だ。

その次に出てくる質問もおもしろい。

「あなたの視点から、ラウンドごとに解説してもらえますか？」と要求している。これに対するアリの答が延々と1ラウンドから止まらない。過去の試合についてかなり時間がたってから、ラウンドごとに解説するのは難しい。しかし、アリはすみずみまで解説している。頭がいいボクサーである。

クレイ　ああ、何とか話せると思うよ。一ラウンドは打たれないよう、ずっと踊り回りながら、リストンを幻惑してやったんだ。奴はいつものようにベタ足で、凶暴な目つきで俺をにらんでいた。いいかい、奴は俺を殺すつもりでいたんだぜ。冗談じゃなくね！　あっちは左のジャブを繰り出してきたけど、こっちには当たらなかったね。俺は身をさっと後ろに退けたり、体を上下にウィービングしたり、頭をひょいと下げたりしていた。奴は右フックを打ってきた。こいつを食らえば怪我していただろうが、このパンチはうまく逃がれたよ。だが、その時、腹に右のパンチを打ち込まれたんだ。俺は奴の目を見ながら、ずっと足を止めずに動いていたよ。目を見ていれば、リストンが重いパンチを打ち込もうとしているのがわかるんだ（以下12行略）。

第二ラウンドのゴングが鳴ると、思った通り、リストンは全力でこっちに向かってきた。奴は第一ラウンドの自分のひどい無様さを挽回しようとしていたんだ。

俺を一ラウンド持たせてしまったんだからね。奴にロープに追い詰められた時のことだ。みんなそこが俺の墓場になるって言っていたところだ。奴は何発か打ってきたが、ウィービングで身をかわし、パンチの大半をよけてやった。一度、奴の腕がオレの首根っこに軽く触れたのを感じた時、俺は自分に向かって「この調子で続けていきさえすればいいんだ」って叫んでたのを覚えている（以下9行略）。

第三ラウンドが始まった。奴の表情を見ると、俺を倒せずまだリングに立ち、しかも切り傷から血を流していることにかなりのショックを受けているのがわかったね。奴はどうしていいのかわからなかったんだな。でも、俺はコン（訳註・ビリー・コーン、元チャンピオン）がジョー・ルイスと戦った時みたいに、気を緩めようなんて思っちゃいなかったよ。このラウンドは軽く流すことにした。つまり休みの回ってことだが、俺には時間を無駄にしている暇はなかった。奴の目に確実にヒットする、もっといいパンチを打たなけりゃならなかったんだ。だから、ゴングが鳴った瞬間、奴が疲れているかどうかひとつ試してやったら、案の定、その通りだったね。それから、奴をロープの方に誘い込んでやった。体にこたえるコンビネーション・ブローはひとつしか食わなかった。俺の左が奴の右目にまともに当たり、左目の右下にも深い切り傷ができた。血がどっとふき出していたから、傷が深いのはわかった（以下30行略）。

でも、五ラウンドが終わってコーナーに戻ると、スタッフは俺の目をしっかり洗ってくれたんで、また見えるようになったんだ。これで、試合に勝つ準備はそろったってわけだ。さっき言ったみたいに、体調をきちんと整えていたので、再び試合のペースをつかめるようになった。俺のコーナーの連中もそれがわかっていたんで、「めちゃくちゃやったれ、ベイビー！」って叫んでいたよ（以下8行略）。

ものすごい解説である。どうなっているのかと思うくらいの記憶力だ。歴史に残るような選手はやはり頭脳が違う。ヤクルトの古田捕手は投手の球を全部覚えているというし、長野オリンピックのスケートで金メダルを取った清水宏保選手も、50歩蹴ればその50歩すべてを区別できるそうだ。すぐれた選手に共通の脳の働きだろう。

ヘイリーはこうした相手の知的能力を把握した上で質問をしているわけだ。おそらく話の中から、この相手ならラウンドごとの記憶があるだろうと推測したに違いない。このインタビューを読んだだけでも、アリがすぐれた頭脳の持ち主であり、それが彼のボクシングの本質的な要素だということがわかる。

それがわかったのはヘイリーの「あなたの視点から、ラウンドごとに解説してもらえますか?」という質問があったからだ。もしこの質問がなかったら、モハメド・アリの非常にクリアな認識力について、私たちはここまではっきり知ることはできなかっただろう。

「続けざまに八発パンチをたたき込んで、最後ラウンドの終わりに左フックを二発見舞って」、その時にどう考えていたかまで覚えているのは超人である。**質問次第で人のすごさが浮き彫りになるという、非常にいい質問の例である。**

ボクシングについての質問のあとにイスラム教について聞いている。質問だけを拾ってみよう。

まず「ブラック・モスレムというイスラム教の団体に加わろうとしたきっかけは何だったのか、その組織に入る決断をさせた人物は誰だったのか」聞いている。それに対して長い答があって、次の質問が「モスレムに加入したのはいつか?」、次は「イスラム教を信じていることで、人生はどのように変わったか?」と聞き、「人生のすべてが変わった」という答を引き出している。

さらに「イスラム教の前に宗教に入っていたことはあるのか?」という質問により、アリがキリスト教からイスラム教へ改宗したいきさつが語られる。カシアス・クレイは奴隷の名前なので、アリはイスラム教に入信してからモハメド・アリに名前を変えたそうだ。アリにとってイスラム教に改宗したことが、それまでの彼の人生を見直すきっかけになったのだ。

ボクシングの強さとは直接関わりのない話だが、アリの人生にとっては革命的な事件だったろう。私も最初はカシアス・クレイで覚えていたのに、なぜ途中で名前が変わったのか不思議だった。

とてもシンプルな質問だが、この程度の3つ、4つの質問で、アリの**精神的世界**に**起こった出来事**を**克明に引き出して**いる。イスラム教に入信したのは、人種差別に対する抗議であることは明らかなので、そこからへイリーは黒人問題にテーマをシフトさせていく。

最初はボクシングの話をしているが、やがて黒人問題へシフトしていくのはマイルス・デイヴィスへのインタビューでも同様だった。初めは音楽のことを聞き、やがて黒人問題の方へ移る。アリにもボクシングのことを聞きながら、黒人問題のテーマにつないで話を深めていく。テーマ性の強いインタビューである。

「なぜ、あなたは仕事ばかりしているのですか？」

もう一人、サミー・デイヴィス・ジュニアへのインタビューをあげてみよう。サミー・デイヴィス・ジュニアはあまりに大スターで、忙しい人物である。ヘイリーもインタビューをするのがとても大変だったという話をしている。

こちらの話に耳を傾けてもらうことで、私はサミーの信頼を勝ち取ろうとしていた。二週間、町から町へと移動する彼のトラックの後をつけて、デイヴィスの沈黙の殻をこじあけ、彼を取り巻く親友や協力者の張る非常線に侵入しようとしていたが、黙って待っているだけでは、手を振ったり、挨拶してもらえる程度で、引き止めて、長話をする時間は見つけられなかった。やっと私たちの苦労に気づいたサミーは私をそばに呼んで、フィラデルフィアで何とか時間を作ると約束してくれた。その約束はきちんと果たしてもらえたが、それでもまだ骨の折れる戦いが続くことになった。

移動する彼の車を2週間追いかけて、その苦労に気づいたサミーが何とか時間を作る約束をしてくれたのである。忙しい大スターを前にして、どんな質問をするのか考えた末、ヘイリーが切り出したのが**「なぜサミーはあんなに仕事ばかりしているのか」**ということだった。

サミーの自伝にも散々書かれており、大親友でさえ当惑しているというサミーの仕事ぶりについて質問したわけである。サミーの**異常な忙しさ**について、ポイントを**突いた有効な切り出し**である。

ヘイリー　サミー、びっしりのスケジュールをこなすため、いつもヘトヘトになって、動き回っているようですね。なぜ休みも取らず、仕事ばかりに追われているのですか？

デイヴィス　一番になりたいなら、他の誰より一生懸命に働かなくちゃいけないんだ。俺はこの業界でいつも一流を目指してきた。ずっと働いてきて、待ち望んでいたチャンスがやっと巡ってきたら、飛んできたボールを思いきり打つかい？それともバントで我慢するかい？　なあ、俺ならヒットを狙うね。（中略）野心を持つのは悪いことなのかい？

ヘイリー　もちろんそんなことはないですよ。でも、こなしきれないほど出演依頼を引き受けてしまうのはなぜなんですか？

デイヴィス　誰もが初めから大きなことを一度に三つも四つもできるわけじゃない。ひとつのチャンスに取り組むようになると、突然、もうひとつのチャンスが巡ってくる。ふたつのチャンスをきっちりこなすと、突然、断りきれない別のことがあれこれ舞い込んでくる。しばらくすると、自分の手に負えなくなっているってわけさ。

「こなしきれないほど出演依頼を引き受けるのはなぜか？」、つまりそんなに忙しくするのはなぜなのかと質問すると、サミーは「ひとつのチャンスに取り組むようになると、突然、もうひとつのチャンスが巡ってくる」と答えている。

この質問はここで切れるのではなく、しばらくしてあとの方の質問につながっていく。質問だけを拾っていこう。

「あなたがエンターテイナーとしてやっているすべての活動は人から認められたいという熱望から出ているのではないか？」と聞いている。これはテーマ性を持った質問である。彼の人から認められたいという強い欲求についてふれ、それは白人を意識しているからではないかと推測している。その見通しがあったから、最初に「何でそんなに忙しくしているのか？」という質問を切り出したのだ。

ただ「忙しいですね」というだけではなく、忙しくするからには何かがある。それは認められたいということではないのか。認められたいとそこまで強く思う気持ちの裏には何があるんだということまで追い込んでいくわけである。

次の質問では「ナイトクラブや劇場の観客は圧倒的に白人が多いですね。あなたが何としても認められたいという気持ちが強いのは、自分が黒人であることを多少意識しているせいだと思いますか？」とズバリ聞いている。

何としても認められたいという強い欲求の話が、ここで黒人というテーマにつながっていく。**忙しさと黒人問題をつなげたヘイリーの離れ業**だが、そのつながりに

サミーに鋭く質問するヘイリー

は論理的な説得力がある。それは彼が黒人ゆえに、人から認められたいという欲求が人一倍強かったのではないかというのである。普通の人なら忙しいことと黒人であることは無関係である。

だがヘイリーは一見つながりのない3つ4つの質問により、こじつけではなく、きちんとした文脈の中で忙しさと黒人問題のつながりを明らかにした。おそらくサミー自身も意識していなかったことかもしれない。非常に深い「質問力」である。

さらにヘイリーの質問は、サミーの深い部分まで入っていく。

ヘイリー　軍隊時代にどんな体験をした

のか少し話してもらえますか？
デイヴィス　偏見だらけの奴と何人か出会った――いいかい？　数人に押さえつけられ、袋叩きにされ、鼻を二度もへし折られたんだ。でも、肉体に加えられた暴力が一番つらかったわけじゃない。一番の暴力は心理的なものだった。つまり、そう、俺はショービジネスの世界でずっと生活してきた。それまで、父、ウィル・マスティン、俺と一緒に仕事をしていたエージェントやマネジャーをはじめ、どの白人だってやさしくしてくれたんだ。でもそれは会った時に必ず俺を抱きしめてくれるっていうやさしさじゃない。そんなことはなかったし。でも、軍隊に入るまで、白人で俺の姿を見て、憎しみを表に現す人間はひとりもいなかった、というのが肝心なとこだ。たとえ、俺が誰だか知らない白人でもね。（以下22行略）

「軍隊時代にどんな体験をしたのか少し話してもらえますか？」という質問は、少し前にサミーが軍隊にいたと話したことを受けている。この答はすごい。本当に黒人差別がいかにひどいことかわかる文章である。

「数人に押さえつけられ、二度も鼻をへし折られた」「歩兵基礎訓練センターに入って十分間のうちに、これまでの人生で聞いてきた以上のニガーという言葉を耳にした」「道を尋ねて『すいません、先輩』と言うと、『俺はおまえの先輩ではない、この黒ん坊野郎め！』と言い返してきた」「親父が借金してプレゼントしてくれた時計の上にブーツの踵をのせ、押し潰した」「おごってくれたビールの中身は生温かい小便だった」……。

この少し前にサミーは黒人差別について聞かれ、「話したくないし、考えるのもいやだね。もう気にしちゃいないけど。どうでもいいことさ。あの時のことを思い出して、泣き言を言っているなんて人から思われたくないんだ」と言っているが、それでもヘイリーは差別について具体的に聞き出している。

これは非常に重要な質問である。私もこれを読んで、黒人差別が本当にひどいことがわかった。だからヘイリーがこの質問をしてくれてよかったと思う。

ヘイリーのテーマ性が最も強く現れている質問は、インタビューの中盤でなされている。それは「黒人に生まれてこなければよかったと思ったことはないですか？」というものだ。サミーは「俺が白人だったら、芸能界でこれほど成功しようなんて、絶対望んだり、思ったりしなかっただろう」と述べている。

ヘイリーには、各界の一流の黒人から黒人問題についての深い話を聞き出したいという明確なねらいがある。しかし自分がしゃべって話をリードしてしまうと、質問者がストーリーを作ってしまうことになる。あらかじめインタビュアーがストーリーを作っておき、相手を無理矢理押し込めるような対談を時々目にするが、新しい発見がなく、おもしろくも何ともない。

ヘイリーはあえて**自分の質問を短くする**ことによって、**相手の話をより多く引き出す**ことに**成功**している。それでいて**テーマ性を外**さない。切れ味のよい質問である。偶然ではない安定した「質問力」がぴっちり詰まっているよいテキストである。

以上が「質問力」の最高レベルと目してよいテキストである。

対談やインタビューを読む時は、答のおもしろさだけでなく、質問の質にも気をとめてほしい。当人が思ってもいないようなことを引き出していたり、今までつながっていなかったものがつながって来たり、1つのテーマが非常に深まってきたり、質問によって自分自身も忘れていたようなことがわき上がってくる経験が、コミュニケーションの喜びである。

対談や対話のテキストをそういう観点で見ていくと、「質問力」のすごさがわかるようになるだろう。

エピローグ

「質問力」という考え方を導入すると、日常のコミュニケーションがクリアに見えてくるが、おもしろくなるのはそればかりではない。たとえば孔子やブッダ、キリスト、ソクラテスといったすぐれた人物たちの話した言葉を質問との絡みで見直すと、ずいぶん違ったものが見えてくる。

たとえば偉大な聖人たちはほとんど自分で本を書いていない。質問に答えて話をするのが基本的なスタンスである。目の前にいる人から受けた質問に対して答える生きた言葉が、歴史の中で命を保ってきたわけだ。

孔子も言っているが、「同じ質問をしているのに、答が違うのはどうしてなのか?」ということがある。なぜあの人にはこう言って、この人には言わなかったのか? それは相手のレベルを見通して答を言っているからだ。彼らも普遍的かつ絶対的な真理をいつも述べているわけではない。質問者しだいによって引き出されるものが違うのである。

だから弟子たちの「質問力」に焦点を絞って偉大な人々の言葉を見直すと、その人たちのすぐれた言葉に新たな発見があるかもしれない。あるいは偉大な人物がする質問に非常にすぐれた力がある場合もある。質問という観点から彼らを見直すのも興味深いだろう。

孔子の弟子はよく質問している。『論語』(岩波文庫)からおもしろい質問をあげると、

「子貢問曰、賜也何如」子貢という弟子が「私などはどうでしょうか」とたずねると、

「子曰、女器也」孔子は「お前は器である」と言う。

「曰、何器也」「なんの器ですか」と聞くと、

「曰、瑚璉也」「コレンの器だ」と言う。

コレンの器は玉の飾りがついた貴重な器だ。器としての限界はあるが、それなりの有用性はあるという指摘だ。これは「自分はどうでしょうか?」といきなり本質をついてきた弟子の質問に対する答である。

孔子が弟子にした質問もある。

「顔淵季路侍、子曰、盍各言爾志」顔淵と子路（季路ともいう）という弟子に孔子が「それぞれおまえ達の志望、志を話してみないか」と言ったわけである。

子路の答が「願車馬衣軽裘、與朋友共」。「車や馬や着物や毛皮の外套を友だちと一緒に使って、それが傷んでもクヨクヨしないようにありたいものです」という具体的な答である。友だちと分かち合いたいということだろう。

孔子が一番気に入っていた弟子の顔淵の答は「願無伐善、無施労」。「すごい事を自慢せず、つらいことを人に押しつけないようにありたいものです」というものだ。

子貢が逆に「願聞子之志」と質問して、「どうか先生の志望、志を聞かせてください」と言うと、孔子が「老者安之、朋友信之、少者懐之」（「老人には安心させてやり、友だちには信じられるように、若者には慕われるようになることだ」）と答える。

これは「老者には心安く、おいはこれを信じ、少者はこれになつく」という有名な言葉である。これも質問を軸にして両者が質疑応答を繰り返し、歴史に残る応答になっている。

なぜ同じ質問なのに答が違うのかという点については、下村湖人の『論語物語』

（講談社学術文庫）に明確に書いてあったが、ある人がこの世に霊があるのかどうか孔子に質問したところ、相手によってどんどん答を変えていったという。明らかに同じ質問のようだが、相手の力量を見計って、相手の実力に合わせた話をしたということである。

ソクラテスもおもしろい。彼は質問上手であり、質問するのがあたかも仕事のような哲学者だ。ソクラテスの場合は、もちろん自分で教えも説くが、自分のアイデンティティを「問いを発する人」に置いている点が孔子と違う。自分が真理を説くのではなく、相手に質問することで相手自身に気づかせていくのだ。

特に自分が何も知らないことに気づかせる、という無知の知を知らしめるような質問をしている。質問の価値、質問の問う力を明確に評価し、実践した人である。

偉人たちの話だけでなく、小説といったフィクションの世界に登場する対話も、「質問力」の観点で見ていくと、また違った見え方がしておもしろい。

ドストエフスキーの名作『カラマーゾフの兄弟』（新潮文庫・原卓也訳）の中で（「第五編プロとコントラ」）、主人公のイワン・カラマーゾフが『大審問官』という自作のストーリーを弟のアリョーシャに話して聞かせるところがある。

イワンは聖書の『マタイ伝福音書』第4章に書かれているキリストと悪魔の対話についてふれている。マタイ伝には悪魔の試練を受けるため、荒野に導かれたキリストと悪魔の対話がのっているが、それによると悪魔はキリストに3つの問いをしたという。

すなわち「お前が神の子なら、石がパンになるように命じてみろ」「お前が神の子なら、この塔の上から飛びおりてみろ（飛びおりても無事なはずだ）」「お前が私にひれ伏すなら、この世のすべての栄華を与えよう」

これに対してキリストは「人はパンのみにて生きるものにあらず」「神を試みてはならない」「ただ神にのみ仕えよ」と答えた。この答はキリストの教えとしてあまりに有名である。しかしドストエフスキーが注目したのは、キリストの解答ではなく悪魔が出した3つの問いの方である。イワン・カラマーゾフはこう語る。

「あの三つの問いの出現にこそ、まさしく奇蹟が存しているからだ。一例としてためしに今、もしあの恐ろしい悪魔の三つの問いが福音書から跡形もなく消え失せてしまい、それを復元して福音書にふたたび記入するために、新たに問いを考えだして作る場合を想定しうるとしたら、そしてそのために支配者や高僧、学者、哲学者、詩人など、この地上のあらゆる賢者を集めて、《さあ、三つの問いを考えて作るがいい、だがその問いは事件の規模に釣り合うだけではなく、そのうえわずか三つの言葉、わずか三つの人間の文句で、世界と人類の未来の歴史をあますところなく表現しうるようなものでなくてはならぬぞ》と課題を与えるとしたら、一堂に会した地上の全叡知は、はたしてあのとき力強い聡明な悪魔が荒野で実際にお前（キリストのこと）に呈した三つの質問に、深みや力から言って匹敵できるようなものを何かしら考えだせるとでも、お前は思うのか？　これらの質問を見ただけで、またそれらの出現した奇蹟を見ただけで、お前の相手にしているのが（悪魔のこと）人間の現在的な知恵ではなく、絶対的な永遠の知恵であることが理解できるはずだ。なぜなら、この三つの問いには、人類の未来の歴史全体が一つに要約され、予言されているのだし、この地上における人間の本性の、解決しえない歴史的な矛盾がすべて集中しそうな三つの形態があらわれているからだ」

つまり、悪魔が出した3つの問いがキリストの本性、あるいは人類の未来のすべてを要約してしまった。そういう3つの問いを誰が考え出せるであろうか。その問い自体がすばらしいと言っている。キリストの答も見事だが、キリストの回答能力以上に、ドストエフスキーは悪魔の「質問力」を評価しているのだ。まさに究極の質問である。

「質問力」という観点に注目して、小説を読みとくのもおもしろい読み方であり、かつ「質問力」を鍛えるトレーニングにもなるだろう。

解説　「質問力」は、人間的魅力の一つ

斎藤兆史(よしふみ)

本書の著者である齋藤孝氏と知り合うきっかけとなったのは、ある雑誌が企画した対談であった。実用コミュニケーション偏重の英語教育に対して警鐘を鳴らしつつ、堅固な国語力の養成を軸とする骨太の教育の重要性を訴えたその対談において、二人は時の経つのも忘れて延々と話し込んだ。結局、その充実した対談の内容は一回の雑誌記事には収まらなくなり、再度企画された対談の内容を加えた形で『日本語力と英語力』（中公新書ラクレ）という本にまとめられた。

合計で十時間以上にも及んだ愉快なやり取りを思い返しながら、改めてその対談本の頁を繰ってみると、そこに孝さん（二人とも同姓なので、お互いに名前を「さん」付けで呼び合うことにしている）の巧みな対話術がさまざまな形で現れているのが見てとれる。たとえば、「技」や「型」の学習を排した「個性重視」の教育を

批判している文脈で、それまでの会話から私が将棋好きであることを知った孝さんは、さり気なく「将棋で「技を修得せずに」個性的に指すと言っても勝てないです」という発言をするのだが、これなどは、私の関心と文脈の両方を踏まえた、じつに高度な「沿う技」である。私がその話題に飛びついたことは言うまでもない。

あるいは、実用コミュニケーション偏重の英語教育についての現状分析で話題が停滞したと感じたか、孝さんはまたもやさり気なく「いまの流れはかわらないのでしょうか」との質問を発している。これが呼び水となって、二人の会話はこれからの日本語・英語教育のあるべき姿を模索する方向へと流れ込んでいく。この質問なども、円滑な議論の流れを積極的に作り出すための高度な技であると言える。

私の同業者のある女性が、最近知り合った男性に対する好意を語りつつ、その魅力の一つとして「相手の意見を聞き出す能力」を挙げた。「自分はこう思うけれども、貴女はどうですか?」と、きちんと自分に質問を投げてくれるところが素敵なのだという。当たり前の会話術のようだが、最近の日本人男性の中でそのような自然な言葉のキャッチボールができる人は少ないらしい。過去二、三十年の間、コミュニケーション重視の英語教育が行なわれているにもかかわらず、肝心の日本語で自然な言葉のやり取りができなくなっているのだから、何とも皮肉な話ではないか。「質問力」は、すでに人間的魅力の一つと言ってもいいのかもしれない。

質問とは、知恵や知識において自分より優れた者に対して自分の無知をさらけ出し、教えを乞う行為だと思っている人が多い。もちろん、そういう側面もないとは言えないが、多くの場合、それは他人と自分の考えがどこでどのようにずれているのかを確認するための作業である。したがって、質問を発するためには、まずその前提として自分なりの考えがなくてはいけない。質問ができないということは、相手の考えに対置すべき自分の考えがないことを意味する。学習段階の低い児童によく見られる、「何が分からないのかが分からない」状態にあるということだ。

唐代中国の禅の名僧・臨済は、叱声の「喝」を四種類に分けて説明している。参禅者に対する叱咤の喝、修行者が師の力を推し量るための喝、師が弟子を試すための喝、そして最後にすべてを統合する、真理そのものとも言える究極の喝。本書が我々に教えてくれるのは、質問にもいろいろな種類があり、そのうちの高度なものは、まさに「喝」と同じように、知恵の授受を助ける技として用いることができるということである。そして、相手の中に新しい価値や「悟り」を生む、ソクラテスの産婆術にも似た「クリエイティヴ」な質問こそ、第四の「喝」に匹敵する究極の大技だと言える。

インターネットという革命的な通信手段を手に入れたいま、日本人は逆に対面での原初的な言葉のやり取りに対して無頓着になっている。さらには、母語たる日本語は自然に身につけられるものだと高を括り、それを技として使いこなすための努力を怠っているように見える。しかしながら、言葉によるコミュニケーション能力は、あくまで地道な学習と訓練によって身につけるものである。この本の読者は、問いを発するという一見単純な言語行為がいかに奥の深い技であるかを学んだはずである。この機会に自分の「質問力」を測定し、積極的にその増強を目指していただきたい。

（東京大学大学院総合文化研究科助教授）

本書は、筑摩書房より二〇〇三年三月に刊行された。

ライカ同盟　赤瀬川原平
中古カメラウィルスにとりつかれると、治療すれば する程重症になるというカメラを巡るお話。他にし みじみ「天体小説集」収録。（山下裕二）

学校って何だろう　苅谷剛彦
「なぜ勉強しなければいけないの？」「校則って必要なの？」等、これまでの常識を問いなおし、学ぶ意味を再び摑むための基本図書。（小山内美江子）

生き物を飼うということ　木村義志
気がつけば家中生き物だらけ……。昆虫中年の著者が室内飼育のノウハウを伝授。生き物と暮らす楽しさいっぱいのエッセイ集。（岡田朝雄）

10宅論　隈研吾
ワンルームマンション派・カフェバー派・清里ペンション派・料亭派などの住宅志向を分析しながら論ずる日本人論。（山口昌男）

文房具56話　串田孫一
使う者の心をときめかせる文房具。どうすればこの小さな道具が創造力の源泉になりうるのか。文房具の想い出や新たな発見、工夫や悦びを語る。

まぼろし万国博覧会　串間努
月の石、迷子ワッペン、人間洗濯機、楽器を奏でる音楽ロボに空中ビュッフェ…。のべ６４００万人がときめいた「エキスポ70」を見に行こう！

私はそうは思わない　佐野洋子
佐野洋子は過激だ。ふつうの人が思うようには思わない。大胆で意表をついたまっすぐな発言をする。だから読後が気持ちいい。（群ようこ）

蒐集する猿　坂崎重盛
瓢簞やステッキ、帽子等、そのモノだけでなく、それが登場する文学作品や絵までも収集する！　なぜそんなに集めてしまうのか？（南伸坊）

大増税のカラクリ　斎藤貴男
会社員も自営業者もバイトも全員大増税が続く。その仕組みを解明するとともに、人を税痴にする源泉徴収と年末調整の問題を提起。対談＝浦野広明

整体的生活術　三枝誠
人間の気の回路は身体の内側にのみあるわけではない。健康に生きるため何と関わって生きるかを選ぶことの必要性を説く。巻末寄稿　甲野善紀

整体入門 野口晴哉

日本の東洋医学を代表する著者による初心者向け野口整体のポイント。体の偏りを正す基本の「活元運動」から目的別の運動まで。（伊藤桂一）

これも男の生きる道 橋本治

日本の男には「男」としての魅力がないのか？ 「男のありかたを見直すこと、旧来のなれあい関係から脱出すること」により新生する男像とは？

これで古典がよくわかる 橋本治

古典文学に親しめず、興味を持てない人たちは少なくない。どうすれば古典が「わかる」ようになるかを具体例を挙げ、教授する最良の入門書。

東大で上野千鶴子にケンカを学ぶ 遙洋子

そのケンカ道の見事さに目を見張り「私も学問がしたい！」という熱い思いを読者に湧き上がらせた、涙と笑いのベストセラー。（斎藤美奈子）

お金じゃ買えない。 藤原和博

ほんとうに豊かな時間を得るための知恵とは？ お金じゃ買えない自分だけのI・A（見えない資産）を増やすための教科書。（テリー伊藤）

給料だけじゃわからない！ 藤原和博

あなたは働きすぎていないか？ やりがいを見つけ、会社にコキ使われずに、自分の人生の主人公になるために、ほんの少し視点を変えてみよう。

味方をふやす技術 藤原和博

他人とのつながりがなければ、生きてゆけない。でも味方をふやすためには、嫌われる覚悟も必要だ。ほんとうに豊かな人間関係を築くために！

人生の教科書［よのなかのルール］ 藤原和博 宮台真司

〝バカを伝染（うつ）さない〟ための「成熟社会へのパスポート」です。大人と子ども、お金と仕事、男と女と自殺のルールを考える。（重松清）

人生の教科書［家づくり］ 藤原和博

家づくりは「人生そのものの表現手段」だ！ 建築には全く素人の著者が、住宅の常識に挑んで実現した「生き心地」もよくなる家。（隈研吾）

懐かしの町 散歩術 町田忍

東京タワー、福生など時代の匂いのする町、お台場、名古屋など新しい町や都市まで、懐かしの物件を探す散歩の極意を伝授する。（泉麻人）

三島由紀夫レター教室　三島由紀夫

5人の登場人物が巻き起こす様々な出来事を手紙で綴る。恋の告白・借金の申し込み・見舞状等、一風変ったユニークな文例集。（群ようこ）

三島由紀夫のフランス文学講座　鹿島茂編

ラディゲ、ラシーヌ、バルザック……を〝戦後最高の批評家〟三島はどう読んだか？　作家別、テーマ別に編むフランス文学論。文庫オリジナル。

三島由紀夫の美学講座　三島由紀夫　谷川渥編

美と芸術について三島は何を考えたのか。廃墟、庭園、聖セバスチァン、宗達、ダリ。「三島美学」の本質を知る文庫オリジナル。

茫然とする技術　宮沢章夫

かつてこれほどまでに読者をよくわからない時空に置き去りにするエッセイがあっただろうか。笑った果てに途方に暮れる71篇。（松尾スズキ）

国語辞典で腕だめし　武藤康史

新明解国語辞典の語釈からことばを当てよう。解答には用例や解説を豊富に併載。日本語を広く深く味わいつくし、あなたのことば力を試す！

樋口一葉の手紙教室　森まゆみ

花見の誘い、火事見舞い、媒酌依頼…掌編小説さながらの実用手紙文例集『通俗書簡文』を味わい深く読み解く。『かしこ一葉』改題。（福原義春）

読ませる技術　山口文憲

うまい文章を書くコツはないが、まずい文章を書かないコツはある。まず入口と出口を押える、「ある・ある・ヘー」の方則など具体例満載。（壇ふみ）

ヤクザに学べ！男の出世学　山平重樹

シノギ、縄張り、対立・抗争……。ときに体を張る男たちのずばぬけた実践力、行動力はいかにして鍛えられるのか？　そのすべてを伝える。

解剖学教室へようこそ　養老孟司

解剖すると何が「わかる」のか。動かぬ肉体という具体から、どこまで思考が拡がるのか。養老ヒト学の原点を示す記念碑的一冊。（南直哉）

神経内科へ来る人びと　米山公啓

偏頭痛・失語症・脳梗塞・ヘルペス脳炎など、悩みを抱える患者さんを通し、神経内科を広く知ってほしいと願う医師のメッセージ。（田辺功）

ちくま文庫

質問力　話し上手はここがちがう
二〇〇六年三月十日　第一刷発行
二〇〇八年一月十五日　第四刷発行
著者　齋藤孝（さいとう・たかし）
発行者　菊池明郎
発行所　株式会社　筑摩書房
東京都台東区蔵前二—五—三　〒一一一—八七五五
振替〇〇一六〇—八—四一二三
装幀者　安野光雅
印刷所　中央精版印刷株式会社
製本所　中央精版印刷株式会社
乱丁・落丁本の場合は、左記宛に御送付下さい。
送料小社負担でお取り替えいたします。
ご注文・お問い合わせも左記へお願いします。
筑摩書房サービスセンター
埼玉県さいたま市北区櫛引町二—六〇四　〒三三一—八五〇七
電話番号　〇四八—六五一—〇〇五三

ISBN4-480-42195-5 C0181